Rien ne va plus

Itinéraire du joueur

Raynald Beaupré

Rien ne va plus

Itinéraire du joueur

ÉDITIONS QUÉBEC AMÉRIQUE

329, RUE DE LA COMMUNE OUEST, 3E ÉTAGE, MONTRÉAL (QUÉBEC) H2Y 2E1 (514) 499-3000

Données de catalogage avant publication (Canada)

Beaupré, Raynald

Rien ne va plus. Itinéraire du joueur

Autobiographie.
Comprend des réf. bibliogr.

ISBN 2-7644-0152-3

1. Beaupré, Raynald, 1947- . 2. Joueurs compulsifs – Québec (Province) – Biographies. I. Titre.

RC569.5.G35B42 2002 616.85'841'0092 C2002-940114-3

Les Éditions Québec Amérique bénéficient du programme de subvention globale du Conseil des Arts du Canada. Elles tiennent également à remercier la SODEC pour son appui financier.

Nous reconnaissons l'aide financière du gouvernement du Canada par l'entremise du Programme d'aide au développement de l'industrie de l'édition (PADIÉ) pour nos activités d'édition.

www.quebec-amerique.com

Dépôt légal: 1er trimestre 2002
Bibliothèque nationale du Québec
Bibliothèque nationale du Canada

Révision linguistique: Claire Morasse et Monique Thouin
Mise en pages: Andréa Joseph [PAGEXPRESS]

À mon fils Nicholas

Remerciements

J'aimerais souligner ici l'apport de quelques personnes, qui à leur façon et à un moment ou un autre au cours de la rédaction de ce livre, m'ont apporté leur aide et leur enthousiasme. Car, et ce fut pour moi une belle surprise, tous sans exception ont embarqué dans mon projet avec ferveur et ont collaboré bien-au-delà de ce que j'attendais d'eux. Je vais les nommer ici dans l'ordre chronologique de leur aide.

Il y a eu d'abord Anne-Marie Martineau, une amie de toujours, qui a allumé l'étincelle en me suggérant d'écrire mon histoire. Ensuite, dès mon intention d'écrire ce livre, Michel Saint-Denis, président d'Organiplan, m'a ouvert ses bureaux, 24 heures par jour, 7 jours par semaine. Michel a contribué bien davantage que de m'offrir le support technique, sa présence et celle de son équipe ainsi que ses encouragements m'ont fait le plus grand bien dans une période particulièrement difficile pour moi.

Ensuite Anne-Marie Courtemanche qui a bien voulu corriger les premiers chapitres pour les rendre présentables à un éditeur. En fait, Anne-Marie a fait plus que réviser mon texte, elle m'a conseillé dans l'écriture, suggéré des tournures de phrase et m'a incité à tout dire, m'évitant très souvent de m'éloigner du sujet principal. Merci également à Geneviève Perrault qui a corrigé quelques chapitres.

Que dire de l'apport inestimable de Phyllis Vineberg, la mère de Trevor, qui est l'une des premières victimes connues des appareils de loterie vidéo. Sans rien connaître de moi, Phyllis m'a ouvert sa maison et a mis à ma disposition toute l'information qu'elle avait colligée sur le jeu compulsif au cours des cinq dernières années. C'est grâce à elle si je me suis intéressé aux appareils de loterie vidéo et ai découvert tout le mal qu'ils causent à notre société. Elle est devenue une amie. Thank you, Phyllis.

Loto-Québec possède un excellent centre de documentation sur le jeu compulsif. Vous trouvez dans ses rayons à peu près tout ce qui s'est écrit dans le monde sur le jeu. Le personnel du Centre m'a facilité la tâche dans mes recherches en m'aidant à m'y retrouver lorsque nécessaire. Mes nombreuses visites à ce centre se sont toujours déroulées avec les entières collaboration et disponibilité de son personnel.

Les premiers lecteurs de mon début de manuscrit, Marie-Josée Gamache et Jacques Dumais, tous deux œuvrant dans le secteur social et qui par leur réaction m'ont confirmé que ce que j'étais en train d'écrire répondrait à un besoin. À toutes ces personnes et aux nombreuses autres qui ont contribué à ce livre, je dis merci.

Enfin Lynda Poirier, psychologue au Centre CASA, que j'ai consultée dès le début pour vérifier certaines données sur le jeu compulsif et qui a cru à mon projet à un point tel qu'elle a accepté d'en signer la préface.

Bonne lecture.

Table des matières

DEUXIÈME PARTIE

... Non, ce n'était pas à l'argent que je tenais ! Je voulais seulement que dès le lendemain tous ces Hinze, tous ces maîtres d'hôtel, toutes ces belles dames de Baden parlent de moi, racontent mon histoire, m'admirent, me complimentent et s'inclinent devant ma nouvelle chance au jeu...

... je gagnai encore ; je possédais en tout mille sept cents florins... et cela s'était fait en moins de cinq minutes ! En de pareils moments, on oublie tous les échecs passés ! Car j'avais obtenu cela en risquant plus que ma vie, j'avais osé prendre un risque et... je me trouvais de nouveau au nombre des hommes !

DOSTOÏEVSKI,
Le Joueur

Préface

Depuis quelques années, les discussions, les recherches et les publications sur le jeu pathologique se sont multipliées. Mais jusqu'à maintenant le point de vue du joueur a été peu entendu. Bien plus qu'un témoignage, ce livre est un morceau de vie, une part de rêve, une lueur d'espoir. *Rien ne va plus – Itinéraire du joueur* met en lumière ce qu'éprouve le joueur, ce qu'il est avant et après le jeu. Raynald Beaupré nous ouvre la porte de sa vie de joueur et nous permet de jeter un regard, *son* regard, sur le jeu. Son histoire, qui peut ressembler à celle de bien d'autres joueurs, est unique, c'est la sienne. Sans tomber dans le piège du mélodrame, Raynald Beaupré raconte avec intensité, mais aussi avec objectivité, ces années pendant lesquelles il a eu le jeu comme compagnon.

Rien ne va plus – Itinéraire du joueur est l'histoire touchante, sans être larmoyante, de cet homme qui a connu la détresse, la défaite. Comme bien d'autres, Raynald Beaupré a tenté de gagner sur ses démons du passé en tentant de vaincre le hasard... mais à quel prix !

Parler du jeu au Québec entraîne inévitablement un questionnement sur l'implication de l'État dans ce nouveau mal. Sans exiger la crucifixion de l'État, l'auteur tente de redonner à chacun la responsabilité qui lui incombe. Et s'il dénonce, il propose aussi des solutions...

Mon intérêt pour la problématique du jeu date de plus de 10 ans et m'a menée à la mise sur pied d'un programme spécifique pour les joueurs compulsifs au Centre CASA de Saint-Augustin-de-Desmaures, où je suis directrice clinique. J'ai eu l'occasion de participer à différentes recherches sur le jeu et, à mon avis, le livre de Raynald Beaupré fait montre de beaucoup de rigueur.

En tant que clinicienne, ce livre rejoint mes préoccupations et je considère qu'il est un outil précieux pour tous ceux et celles qui veulent comprendre davantage le jeu et... le joueur.

J'ai lu ce livre avec enthousiasme !

Lynda Poirier, m.s.s.s., c.c.m.j.c., t.s.p.
Directrice clinique
Centre CASA

Avant-propos

Il y a de cela quelque temps, un réseau de télévision a diffusé une série sur la magie. En fait, il s'agissait d'émissions dans lesquelles un magicien masqué dévoilait pour la première fois les tours de magie les plus célèbres et les plus compliqués. Vous savez, le truc de la femme coupée en deux, ou celui de la tête qui fait une rotation de 360 degrés, ou encore celui du magicien qui entre dans une cage qu'on recouvre d'un voile : et aussitôt le voile remonte et hop ! c'est un tigre qui apparaît à la place du magicien.

Comme tout le monde, je savais que les tours de magie n'étaient qu'illusions mais les grands magiciens réussissaient toujours à m'embarquer dans leurs tours, à me fasciner. Aussi, de voir ce magicien, semaine après semaine, dévoiler les plus grands tours de magie, cela me plaisait et me décevait en même temps. Désormais l'émerveillement ne serait plus possible, l'illusion était terminée. À la fin de cette série, je savais que je n'irais plus jamais voir un spectacle de magie. J'étais devenu indifférent.

J'aimerais que ce livre ait le même effet sur les joueurs qui croient être capables de se mesurer aux jeux de hasard, de les contrôler grâce à leurs talents, martingales ou aux recettes miracles. Si mon histoire ne vous convainc pas des dangers que l'on court à vouloir être plus fort que le hasard, peut-être alors que la deuxième partie du livre – dans laquelle j'aborde les raisons qui nous motivent à jouer, les trucs des casinos et des sociétés d'État qui gèrent les jeux de hasard pour nous faire perdre la tête, et les conséquences tragiques subies par certains joueurs qui se sont laissé prendre par l'illusion d'être capables de défier le sort – vous persuadera qu'aux jeux de hasard, si vous vous y adonnez régulièrement, vous serez toujours perdant. Ce n'est pas une illusion, c'est une certitude.

Première partie

1
La nuit des morts vivants

Ils sont là, dans le casino, certains derrière ma table de black-jack, d'autres errant sur le plancher sans savoir quoi faire ni où aller. Plusieurs n'ont plus un sou depuis plusieurs heures, mais ils ne quitteront pas l'édifice pour autant.

Ils ont l'air hagard, ne disent pas un mot... ce sont de véritables zombis. Quelques-uns essaient de dormir dans les fauteuils du cinquième étage, même si ce n'est pas toléré. D'autres, comme moi, iront récupérer dans leur voiture quelques heures avant d'envahir les tables de jeu de nouveau, espérant se refaire.

En regardant ces visages familiers, je réalise cette nuit-là que je suis l'un des leurs et cela me déprime. Des visages enragés, d'autres désespérés. Des visages qui pleurent, comme des enfants, dans les toilettes. Il y a aussi les visages débordants d'exubérance... de ceux qui traversent une période de chance, qui gagnent... Malheureusement pour eux, ça ne dure pas. Je ne le sais que trop bien, je suis passé par là: le nirvana avant la descente aux enfers. Une descente certaine. Et encore plus certain le fait qu'il n'y a pas de remontée, du moins pas au casino. Une descente parfois douce, souvent rapide. Une arrivée au fond assez brutale pour que certains en meurent.

Ceux qui n'en meurent pas ont tout perdu au jeu, même leur honneur; c'est tout juste s'ils ne vont pas finir les plats sur les tables, au snack-bar du casino. J'en connais qui se nourrissent de biscuits soda, parce qu'ils sont gratuits. Certains ont complètement perdu leur fierté, comme ce dentiste à la retraite à qui j'ai prêté cinq dollars que je ne reverrais évidemment jamais. Avec ces cinq dollars, il espère se refaire, doubler sa mise et ainsi de suite jusqu'à ce qu'il ait récupéré toute sa fortune perdue, sa retraite dorée engloutie par le jeu. Le drame, est qu'il y croit... et que nous y croyons tous! C'est croire aux miracles, me direz-vous, complètement utopique. Pas pour nous! Nous espérons toujours nous refaire. Nous, joueurs compulsifs, sommes l'incarnation moderne de Perrette avec son pot au lait*.

Combien de vies déchirées, anéanties. Combien de cadres supérieurs réduits à faire une à une les machines à sous au cas où un autre joueur aurait oublié des pièces de monnaie... Combien de personnes hier très à l'aise et qui rôdent maintenant autour du salon VIP avec l'espoir d'y être invitées? Avec l'espoir d'avoir accès au buffet gratuit parce qu'elles n'ont pas mangé depuis plusieurs heures. Une employée m'a

---

* La laitière et le pot au lait – Jean de La Fontaine.

dit avoir vu à la télé, lors d'un reportage sur l'Accueil Bonneau, un ancien habitué du salon VIP. Je l'ai crue sur parole, j'ai tout vu au Casino de Montréal.

Cette nuit où je réalise que nous sommes tous des zombis, des morts vivants, comme dans le titre d'un film d'horreur de mon adolescence, je me dis que c'en est assez. Je ne veux plus revenir ici. Je ne veux plus faire partie des perdants. Ce n'est bon ni pour l'estime de soi, ni pour ma santé, ni pour ma vie personnelle, ni pour mon portefeuille, ni pour mon travail. Ce n'est bon à rien.

Car en période de crise, plus rien ne compte. Le jeu m'obsède. En moi et autour de moi, tout souffre, surtout ma santé encore fragile. Je suis un passionné. Si un projet m'emballe, je plonge sans retenue. Tant mieux si ce projet est de nature professionnelle et qu'il concerne mon travail... Pourtant, si ce projet a pour nom le casino, j'en oublie mon emploi, mon fils, ma famille, mes amis et mes responsabilités. Tout.

Il m'est déjà arrivé – rarement heureusement – de reporter des rendez-vous d'affaires car à 9 h 30 j'étais encore au casino. C'est d'ailleurs le seul endroit où on ne peut me joindre par mon téléphone cellulaire. Autrement, il est toujours en fonction, même le week-end. Mais mon premier geste en entrant au casino est de l'éteindre. Sentiment de culpabilité sans doute.

Combien de fois suis-je parti directement du casino pour me rendre au bureau le matin. Des nuits blanches aux conséquences désastreuses. Mais cette nuit, je sais que c'est la dernière fois. J'ai vaincu un vrai cancer il y a trois ans, je suis capable de vaincre ce cancer-là. Car le jeu pathologique ou compulsif (cela veut dire la même chose), que l'American

Psychiatric Association considère comme une maladie, agit comme un cancer. Il débute lentement, sournoisement même, et devient un jour incontrôlable. Contrairement aux autres dépendances comme l'alcool et les drogues, le jeu compulsif ne montre pas son jeu. Il ne laisse pas voir à l'entourage de la victime qu'il s'installe. Le joueur compulsif devient dès lors très rusé, il sait cacher sa dépendance ; en dehors du jeu, il a un comportement normal, rien n'indique que cette personne responsable est en train de jouer sa vie devant un vidéo-poker ou à une table de jeu. Comme pour certaines formes de cancer, lorsque la tumeur du jeu est palpable, il est déjà trop tard.

S'il y a des joueurs compulsifs dans les casinos, il y en a également ailleurs. Ce livre ne parlera pourtant pas des autres formes de jeux, comme les courses de chevaux que je ne connais pas, ma compulsion se limitant au casino. Cependant, la majorité des joueurs compulsifs sont des adeptes de loterie vidéo. Il est vrai qu'ils ont l'occasion de jouer fréquemment. Il y a maintenant des appareils de loterie vidéo partout ; 15 251 répartis dans 4 085 bars et restobars du Québec, certains s'affichant comme de vrais casinos, souvent à moins d'un kilomètre de la résidence ou du lieu de travail des joueurs. Un service impeccable, qui offre presque la livraison à domicile, gracieuseté de Loto-Québec...

Au Casino de Montréal, les joueurs qui prennent place devant les machines à sous* ne sont pas tous compulsifs, loin de là, tant s'en faut. En fait, selon les plus récentes recherches, parmi les joueurs réguliers de machines à sous et de vidéo-

---

* Dans les casinos on parle de machines à sous et dans les autres endroits d'appareils de loterie vidéo, aussi appelés vidéo-poker, ALT.

poker sur l'île de Montréal, 9 % seraient des joueurs compulsifs[1], ce qui est quand même très élevé et très inquiétant.

Pourtant, lorsqu'on aperçoit une rangée de joueurs branchés avec le cordon reliant leur carte Privilège* à la machine à sous, cela donne une drôle d'impression. Ils ressemblent à des malades branchés à des bouteilles de sérum. Comme si le Casino voulait donner l'image d'esclaves enchaînés à leur machine. Pitoyable. Pour la discrétion, on repassera !

Revenons à ma dernière nuit au Casino de Montréal. En début de soirée, je suis assis à une table de black-jack et je gagne. Mon voisin de gauche, un habitué souvent de mauvaise humeur, est d'un calme étrange. Je lui demande :

— Et puis, ça va, vous, ce soir ?

Il me regarde sans répondre. Son regard se dirige lentement vers les jetons que je tiens dans ma main. Sept jetons noirs d'une valeur de 700 $. Il me répond d'une voix très calme :

— Vous savez, vous avez plus d'argent dans votre main que j'en ai dans mon compte de banque. Pourtant, j'étais à l'aise financièrement, avant l'ouverture du casino. Je me préparais une belle retraite. J'ai perdu 300 000 $ au Casino de Montréal.

Je m'en veux d'avoir été intolérant avec lui lorsqu'il était de mauvaise humeur à ma table. Les joueurs réguliers sont souvent agressifs, rarement de bonne humeur. Nous sommes loin du slogan du Casino de Montréal : « *Le plaisir est de mise* ».

---

* La carte Privilège est une carte de fidélité des casinos du Québec, qui permet à son détenteur d'accumuler des points échangeables contre des primes.

Lorsque des amis ou des connaissances vont pour la première fois au Casino de Montréal, je leur demande quelle a été leur première impression. Ils me répondent toujours : la tristesse... Ils n'ont pas vu de gens qui avaient du plaisir à jouer, ou très peu.

Moi qui suis de tempérament doux et pacifique, il m'est arrivé au casino d'engueuler d'autres joueurs, de les insulter. Il y a deux ans, quelques jours avant de partir en vacances, j'ai eu une altercation avec un autre joueur. Il était obèse et je me suis moqué de son apparence physique.

Pendant mes trois semaines de vacances, je n'ai cessé de penser à cet incident et je me suis détesté, injurié, semoncé. Je ne me reconnaissais plus et cet incident n'aurait pas pu se passer ailleurs qu'autour d'une table de jeu. Jamais normalement je ne me moquerais du handicap physique de quelqu'un. Parfois, le jeu nous rend comme Dr Jekill et M. Hyde. À mon retour de vacances, j'ai revu le joueur en question et je me suis excusé. Il avait compris que le soir où je l'avais insulté, je perdais...

Quelques mois plus tard, je me suis fait bousculer par un homme de 72 ans qui voulait se battre avec moi. Incroyable ! Et il était sérieux, en plus. Oui, la rage au jeu existe. Le même joueur est venu me voir, un peu plus tard, au salon VIP, pour s'expliquer. Il avait perdu tout son argent au casino, lui aussi. Le plaisir est de mise...

Cinq heures du matin, je suis encore une fois lessivé. Combien ai-je perdu ? Je ne sais pas. Je ne sais plus. Je ne peux même pas me rappeler le nombre de retraits que j'ai faits au guichet automatique. Surtout que, contrairement à mon habitude, je n'ai conservé aucun reçu. Je ne connaîtrai le montant de mes pertes qu'en effectuant la mise à jour de mon livret. Mais je sais que je ne le ferai pas. J'ai trop honte de moi, de mon comportement autodestructeur. Pourtant, hier soir, j'ai remporté quelques milliers de dollars. Maintenant, je n'ai même pas 3 $ pour déjeuner. J'ai lu quelque part qu'un joueur compulsif cherche inconsciemment à se punir. Peut-être est-ce pour cela que je ne quitte pas souvent le casino avec des gains.

En ce petit matin du 3 mars 2001, je suis complètement écœuré. Plus encore que d'habitude. Encore une nuit gaspillée. Est-ce pour cela que j'ai recouvré la santé ? Pour mieux la perdre en passant des nuits blanches à me nourrir de café ?

Des clients viennent d'arriver, frais et dispos. Ils me regardent comme s'ils me comparaient à un mort vivant. J'aime bien cette expression : mort vivant. C'est ce que nous sommes, nous, les joueurs compulsifs. Nous mourons et renaissons deux, trois fois par nuit, au gré du hasard. Je me dirige vers le kiosque d'accueil pour vider mon compte de points accumulés au cours des derniers jours. Ensuite, je vais à la boutique où j'échange mes points contre une prime. Je ne veux rien leur laisser. Ma dernière prime du casino est un ensemble de produits de toilette. Je vais sagement le porter dans mon auto garée au deuxième niveau et je reviens à l'intérieur. En me voyant revenir sur mes pas, l'agent de sécurité doit se dire que je fais partie de ceux qui sont incapables de quitter le casino. Ce n'est pas le cas, du moins pas aujourd'hui. J'avise l'agent de sécurité que je souhaite me faire exclure du casino. Un autre agent vient me chercher quelques minutes plus tard. Je regarde sans les voir les machines à sous. Je sens déjà ma libération. C'est la troisième fois en sept ans que je me fais exclure mais je sais que cette fois-ci sera la dernière. Le casino, c'est terminé pour moi, jamais je ne pourrai le battre. Oui, cette fois, c'est la bonne. Au lieu d'essayer de gagner au jeu, je vais gagner contre le jeu.

2

Le club des « J'aurais donc dû »

Combien de fois ai-je entendu les « J'aurais donc dû » des autres joueurs. Ils avaient gagné 500 $, 2 500 $ et même 10 000 $ au black-jack, à la roulette ou dans les machines à sous. Dans la même soirée, ils avaient tout perdu, gain et argent de départ. Ils se détestent, s'en veulent. Ils promettent de ne plus jamais commettre la même erreur. Vont même jusqu'à s'excuser de leur trop grand appétit du gain qui les a perdus. Ils implorent la chance de leur donner justement une deuxième chance ; oui, ils ont compris et jurent sur tout ce qu'ils ont de plus sacré que s'ils retrouvent, ne serait-ce que leur argent de départ, ils s'en iront. Quelquefois, la chance leur revient. Ils se refont, mais restent soudés à leur siège. Ils plongent de nouveau et quittent le casino, frustrés, se détestant encore un peu plus. Ils savent très bien que la prochaine fois, ils feront exactement la même chose. Bien sûr, il y a des joueurs plus raisonnables qui profitent vraiment de leur gain. Mais ils sont rares. Plusieurs d'entre eux reviendront au casino, confiants, leur gain en poche, espérant gagner encore plus. Et les coffres du casino se regarniront en empochant le gain du joueur… avec un petit surplus dans bien des cas.

Plusieurs croupiers et clients m'ont raconté une histoire quasiment incroyable qui s'est déroulée à l'automne 2000. Un jeune homme, en jouant moins de 500 $ au départ, avait remporté 100 000 $ au black-jack en une seule journée. Il est retourné la semaine suivante et a tout perdu. Qu'espérait-il ? Partir avec la caisse centrale du casino ? Voyant un joueur perdre tout ce qu'il avait remporté et se lever de table les poches vides, une femme assise près de lui n'avait pu s'empêcher de lancer : « Mais que veulent-ils, ceux qui gagnent trois ou quatre fois leur mise ? Partir avec le tapis de la table ? »

Une femme que je salue au casino et avec qui je parle uniquement de jeu, appelons-la Marie-Anne, a gagné un soir 44 000 $ au black-jack avec une mise de départ de 1 000 $. C'était la première fois en 25 visites au casino qu'elle sortait gagnante. En fait, les 44 000 $ ne représentaient qu'une partie de ses pertes antérieures. Dans les semaines qui ont suivi, Marie-Anne a docilement remis cet argent au casino. Sa malchance était revenue.

J'ai aussi en mémoire une soirée de février 2001 où un joueur gagnait beaucoup au black-jack. La chance lui souriait car il devait avoir devant lui environ 10 000 $. Il distribuait les pourboires généreusement : 5 $ pour un café, maintes fois 25 $ au croupier… Il était le roi de la table. Un gagnant exubérant. Le lendemain matin, ce même joueur est installé à une table à la mise minimum, 5 $, tout penaud, silencieux, l'air moribond. Je me suis informé discrètement au chef de section qui m'a affirmé qu'il avait tout perdu.

Des histoires comme celle-là, il y en a treize à la douzaine tous les jours et dans tous les casinos du monde. Observez autour de vous les gagnants : très rares sont ceux qui se lèveront après quelques mauvais coups. Ou, s'ils se lèvent, c'est pour se rasseoir à une autre table un peu plus loin. Il y a en effet beaucoup d'obstacles et de pièges entre la table de jeu et la porte de sortie, tous aussi subtils les uns que les autres.

Je fais partie de ce club des « J'aurais donc dû ». Combien de fois j'ai gagné quelques milliers de dollars en me disant qu'il était impossible que je reperde cet argent si je jouais prudemment.

Avant d'entrer au casino, je me fixais un objectif. Dès qu'il serait atteint, je m'en irais. Après tout, le casino serait encore là le lendemain. Une fois mon objectif atteint, je ne partais pas, pour toutes sortes de raisons : je venais à peine d'arriver, il y avait trop de circulation sur l'autoroute à cette heure-là ; personne ne m'attendait à la maison ; j'avais assez de points accumulés pour un repas gratuit, alors pourquoi ne pas en profiter, etc. C'est incroyable toutes les raisons que l'on peut invoquer pour se justifier. Quelques heures plus tard, j'avais perdu tout mon gain et l'argent du départ. Mais comment était-ce possible d'avoir tout perdu ? J'avais près de 3 000 $ et maintenant plus rien, une fois de plus. Je me promettais de ne plus refaire la même erreur, mais je retombais toujours dans le même piège. Je fonçais tête première dans le mur, comme un imbécile, moi qui me croyais plus intelligent que la moyenne des joueurs. Maigre consolation car nous commettons tous la même erreur. Un joueur compulsif est insatiable.

Lorsque je réussissais à quitter le casino avec un gain, si petit soit-il, le lendemain matin, j'étais fier de moi : j'avais gagné 200 $ ou 500 $. Mais pas question de me servir de cet argent pour payer des factures urgentes, que non ! c'était de l'argent en surplus. J'avais déjà oublié que lors de ma visite précédente au casino j'avais perdu 200 $ ou 500 $ qui n'étaient pas du surplus, mais bien de l'argent provenant de mon salaire. Faut croire que la mémoire est sélective. Un joueur ne se rappelle que de ses bons coups, de ses moments de gloire.

3
Le fond du baril

Depuis maintenant sept ans, ma vie a complètement changé, tragiquement, radicalement, pour le pire. J'ai fait peu à peu le vide autour de moi. Pas le vide d'amis car les rares amis que j'ai, même si je les ai négligés, je les ai toujours. Non, le vide de toutes les activités qui rendaient ma vie si agréable : ski, golf, théâtre, spectacles. Tout mon temps et tout mon argent ont été consacrés au jeu, plus précisément au black-jack. Le maudit black-jack. Moi qui lisais tous les journaux et magazines qui pouvaient me tomber sous la main, je ne lis plus que *La Presse* du samedi et encore, pas chaque semaine. Le téléviseur chez moi reste éteint la plupart du temps ; je vis en marge de l'actualité.

Ma vie professionnelle aussi en a pris un coup. Durant ces sept années j'ai continué à travailler, mais à une vitesse réduite car mon énergie était dirigée dans une seule direction : le casino. Mon travail n'en a pas trop souffert car j'ai malgré tout livré la marchandise. Moi qui étais habitué à exceller, à récolter promotions, primes et honneurs, je ne me contentais plus que du strict minimum, la note de passage.

Ma vie sentimentale a foutu le camp. Je suis seul depuis maintenant cinq ans. J'ai bien eu des aventures d'un soir, d'un mois, et quelques-unes qui auraient pu durer plus longtemps. Le casino a pourtant toujours pris le dessus. Lorsque je rencontre une femme en dehors du casino et qu'elle demande quelles sont mes activités préférées, je ne sais que répondre. Il y a un vide en moi. Un immense trou noir depuis maintenant sept ans.

Le fond du baril, je l'ai atteint l'automne dernier, lorsque j'ai emprunté, pour jouer, près de 15 000 $ à l'entreprise dont j'étais le directeur général. Je dis bien emprunter car comme tout joueur compulsif je ne commettais pas de vol. J'étais convaincu que je remettrais cet argent avec ce que je gagnerais au jeu. J'allais me refaire. Mon premier emprunt a été de 500 $, ensuite 1 000 $, puis encore 1 000 $... Lorsque je me suis arrêté pour faire le compte, j'étais rendu à près de 15 000 $, et j'ai paniqué. J'ai décidé d'arrêter ces emprunts et de les rembourser. Cet argent, je l'ai effectivement remboursé, mais pas avec mes gains du casino. Pour ce faire, j'ai dû hypothéquer ma maison de nouveau... à un taux de 14 %. Malgré mon salaire élevé, je n'étais pas solvable.

Après avoir remboursé l'argent emprunté à l'entreprise, j'ai continué à fréquenter le casino, mais j'ai réalisé que j'étais arrivé à un point de non-retour : la prochaine fois, je ne pourrais plus rembourser. Il fallait que je m'arrête.

Durant ces années de jeu excessif, je ne payais jamais mes comptes à temps. Tout mon argent étant consacré au jeu. Lorsque je recevais une facture, je n'ouvrais même pas l'enveloppe. J'accumulais les comptes, attendant toujours la dernière minute pour payer. Il fallait qu'on me téléphone ou qu'on me menace d'interrompre le service pour que je paie. Et quand je payais, ce n'était jamais la totalité, j'en étais incapable. Je négociais une entente pour payer en trois ou quatre versements. Heureusement, je respectais toujours ces ententes. Même mon loyer, je le payais en retard, parfois jusqu'à quatre mois plus tard ! Cela ne semblait pas inquiéter mon propriétaire qui me faisait confiance.

Les premières années, pour payer mon loyer en retard, les factures urgentes et continuer à jouer, je retirais de l'argent de mes placements. Est ensuite venu le tour des REÉR. Lorsque je n'ai plus eu d'argent, j'ai emprunté à une compagnie de finance, ensuite sur ma police d'assurance-vie. Après, j'ai réussi à emprunter de l'argent aux membres de ma famille et à des amis. Mais comme j'avais de la difficulté à rembourser, ma cote de crédit, autant que ma cote d'amour, s'est mise à chuter.

Je ne payais pas non plus mes impôts. J'ai passé cinq années sans même remplir une déclaration de revenus. Lorsque arrivait la période des impôts, je devenais mal à l'aise. Moi qui pendant 30 ans avais scrupuleusement rempli mes déclarations de revenus et religieusement payé mon dû… j'étais là aussi délinquant. Lorsque arrivait enfin le 1er mai, quand plus personne ne parlait d'impôts, la menace était écartée. J'étais soulagé, tranquille pour une autre année, ou jusqu'à ce que l'un des deux gouvernements me demande de rendre des comptes. Et ces comptes risquaient d'être salés. J'avais retiré mes REÉR, d'abord pour les investir dans mon entreprise, et ensuite pour le jeu. En plus, la dernière année, j'étais travailleur autonome et je n'avais pas payé d'acomptes provisionnels...

Curieusement, aucun des deux paliers de gouvernement ne me demandait des comptes. On semblait m'ignorer. Le système m'aurait-il oublié ? Je m'attendais, surtout la cinquième année, à recevoir une lettre ou un coup de fil d'un fonctionnaire de l'impôt. Mais non. C'est moi qui ai pris les devants lorsque j'ai appris que j'avais un cancer. Je voulais mettre de l'ordre dans ma maison afin de ne pas laisser de mauvaises surprises à mon fils si jamais je mourais. Je dois dire ici que tant les gens de Revenu Québec que ceux de Revenu Canada se sont montrés très corrects avec moi, courtois même, et très, très patients.

Il m'est arrivé d'utiliser un deuxième compte bancaire afin de devancer ma paie qui était déposée dans mon compte régulier dans la nuit du mercredi au jeudi. Le mardi soir, je me faisais un chèque tiré sur mon compte bancaire régulier et déposé dans une autre banque. Je retirais aussitôt au guichet automatique la somme déposée. J'avais gagné 36 heures. Lorsque je recevais ma paie, je déposais le montant emprunté à mon autre compte en argent comptant. Parfois, j'étais raisonnable et décidais même de payer quelques factures urgentes avant de recevoir le dernier avis. Mais dès que je franchissais les portes du casino, je perdais toute raison, et si le chèque n'avait pas encore été encaissé – ce que j'espérais –, je retirais aussi cet argent. Les chèques sans provisions s'accumulaient, ma fiche de crédit en souffrait. Il m'est aussi arrivé de me faire des chèques que je savais sans provisions, espérant gagner au casino pour renflouer mon compte avant que les employés de la banque récupèrent mon chèque. Les premières fois, cela a fonctionné, mais il a suffi d'une fois où je n'ai pu déposer l'argent pour que la banque me retire le privilège de ne pas geler mes fonds. Il n'était plus question que je puisse encaisser un chèque au guichet automatique.

À deux reprises, dans le passé, je me suis fait exclure pour des périodes de trois mois. J'ai attendu sagement la fin de mon exclusion avant d'y retourner. Mais j'y suis retourné. Cette fois, mon exclusion sera pour une période de six mois, quitte à la renouveler par la suite. Pourquoi pas davantage ? On m'a dit que des périodes d'exclusions trop longues incitaient certains joueurs à essayer de revenir au casino avant la fin du terme.

Curieusement, lorsque je décide d'être exclu du casino, je ne cherche pas à y remettre les pieds. Je ne suis pas en manque. Je ne vais pas non plus au Casino de Hull, et je n'ai jamais mis les pieds à celui d'Akwesasne. Non, le casino ne me manque pas lorsque je n'y suis pas. Je trouve d'autres activités pour occuper mes soirées et mes week-ends.

Il faut dire que je ne suis pas un joueur qui aime parier sur la météo, les élections et les matchs sportifs, non. Moi, c'est le black-jack et le poker des Caraïbes. Quand je suis au casino, je joue aux machines à sous pour me détendre, pendant une pause. Je n'ai joué au vidéo-poker dans un bar qu'une seule fois. Je ne suis pas allé aux courses de chevaux depuis 30 ans. À l'époque, c'était une sortie sociale avec les gens du bureau. J'ai un problème avec le fait d'être dans les murs du casino. Tant que je n'y mets pas les pieds, je fonctionne très bien et « j'opère », comme on dit en affaires. Mais lorsque j'y entre, je ne sais pas à quelle heure ni quel jour j'en sortirai.

Pour me défaire de cette drogue légale, un soir, je me suis rendu à une rencontre des Gamblers Anonymes à Longueuil. J'y ai vu des hommes et des femmes, heureux d'en être sortis et d'autres encore tentés par le jeu. En écoutant leur histoire très émouvante, je ne me suis pas senti des leurs. Je ne parie sur rien. Je n'achète jamais de billets de loterie instantanée, seulement un petit 6/49 comme tout le monde lorsque le gros lot est élevé. Sans plus.

Aucun doute que les Gamblers Anonymes sont essentiels pour certains joueurs compulsifs. Cette association a aidé de nombreuses personnes qui, sans elle, se seraient peut-être suicidées, mais moi, je ne m'y retrouve pas. Attention, je ne nie pas mon problème. Je ne cherche pas à l'atténuer non plus. Disons que j'ai un sérieux problème avec le jeu mais qu'il est circonstanciel et localisé.

Lorsque j'ai annoncé à l'une de mes meilleures amies que j'avais dû quitter mon emploi et que je lui ai avoué les raisons qui m'ont obligé à le faire, elle m'a dit :

— Tu as du talent pour écrire. Pourquoi n'écris-tu pas ton histoire ? Tu sais, tu pourrais aider des gens qui ont le même problème que toi.

Cette idée m'a plu. En plus de me libérer par l'écriture, de m'exorciser, je peux peut-être aider d'autres joueurs. Pourtant, je sais qu'en écrivant mon histoire, je me mets à nu devant ma famille, mes amis et d'anciens collègues de travail. Si ce livre peut aider ne serait-ce qu'une seule autre personne, cela en aura valu la peine.

Après la conversation téléphonique avec ma copine qui m'avait suggéré d'écrire mon histoire, je suis allé me coucher. Vers trois heures du matin, je me suis réveillé en sursaut avec la première phrase du livre en tête : « Ils sont là, dans le casino... » Je suis descendu à la cuisine et j'ai commencé à écrire. Cette nuit-là, j'ai écrit cinq ou six pages, mais je savais que je ne m'arrêterais pas tant que je n'aurais pas dit tout ce que j'avais à l'intérieur de moi. Cela me faisait du bien d'écrire, c'était une thérapie. Ma douleur était moins intense, mon désarroi aussi. Écrire mon histoire fut comme un baume sur mes blessures. Ensuite, lorsque j'ai essayé de comprendre les raisons de mon comportement et le rôle de Loto-Québec dans tout cela, là, je me suis impliqué davantage. Plus mes recherches avançaient, plus je m'apercevais que Loto-Québec ne jouait pas toujours franc-jeu ; cela me révoltait et m'encourageait à fouiller encore davantage.

4
Le chant des sirènes

Lorsqu'on arrive à Las Vegas par la route de Los Angeles, impossible de ne pas remarquer, avant d'entrer sur le Strip*, une enseigne publicitaire vous souhaitant la bienvenue dans la ville. On la remarque car elle date d'une autre époque et elle est à des années-lumière des panneaux publicitaires électroniques qui ornent la devanture de plusieurs casinos. Cette enseigne qui proclame : « *Welcome to Fabulous Las Vegas* » est l'un des derniers témoins muets du Las Vegas des années 1950 alors que la plupart des casinos étaient contrôlés par les syndicats du crime. D'ailleurs, le mot « *Fabulous* » a

---

* Le Strip est l'artère principale de Las Vegas où l'on retrouve la majorité des casinos.

probablement été emprunté au nom du premier véritable hôtel-casino qui a ouvert ses portes à Las Vegas, le Fabulous Flamingo Hotel, né du rêve d'un gangster.

Mais, contrairement à la légende, ce n'est pas à Bugsy Siegel, mais bien à Meyer Lansky que l'on doit la « naissance » de Las Vegas[2]. À cette époque, Meyer Lansky était l'un des parrains du crime organisé. Benjamin « Bugsy » Siegel était son copain d'enfance et aussi son homme de confiance lorsqu'il s'agissait d'envoyer vers un monde meilleur un « client » ou un ennemi quelque peu encombrant. Lansky rêvait de faire de Las Vegas la capitale mondiale du jeu. Ce parrain n'était pas né de la dernière pluie puisqu'il contrôlait les casinos de Cuba et avait fait ses dents à Reno dans les années 1930. Bugsy Siegel, toujours tiré à quatre épingles, habitué au luxe de Hollywood, où il fréquentait les stars et rançonnait les studios, ne partagea pas tout de suite l'enthousiasme de son ami et patron pour cette ville désertique du Nevada où le jeu était légalisé depuis 1931, mesure prise par l'État du Nevada pour se sortir de la crise économique qui avait débuté avec le krach de 1929. Mais rapidement l'attitude de Bugsy changea, il se réchauffa. Tout comme Lansky, Siegel était un visionnaire. Il comprit vite ce que pouvait devenir Las Vegas et tout l'argent que le syndicat du crime pourrait en tirer. Il réussit de peine et de misère cependant à convaincre les patrons du syndicat du crime d'investir trois millions de dollars, une somme colossale à l'époque, pour construire un hôtel-casino de grand luxe qui attirerait le jet set de Los Angeles ; Bugsy, étant habitué au clinquant de Hollywood, savait que pour attirer cette clientèle, il fallait construire un hôtel-casino extravagant. Son copain Meyer Lansky partageait sa vision des choses et l'aida à obtenir l'accord des autres parrains. C'est ainsi que The Fabulous Flamingo Hotel ouvrit ses portes le lendemain de Noël 1946[3].

Quelques décennies plus tard, devant l'engouement du public pour les jeux de hasard et pour Las Vegas, des sociétés financières aux mains propres se sont intéressées à cette nouvelle industrie florissante et les autorités du Nevada ont fait le ménage dans leur cour, obligeant les corporations obscures à se départir de leurs intérêts dans les casinos. Tous les directeurs de casino au passé douteux sont devenus *persona non grata* à Las Vegas. Les hôtels-casinos sont alors passés sous le contrôle de compagnies respectables. Le Fabulous Flamingo Hotel est devenu un maillon de la chaîne des hôtels Hilton, ce qu'il est toujours. Le Tropicana a été racheté par la chaîne hôtelière Ramada Inn en 1979. Le Caesar's Palace et la plupart des autres grands casinos d'alors sont devenus publics, leurs actions s'échangeant au parquet de la Bourse de New York[4].

C'est 40 ans après la première visite de Bugsy Siegel à Las Vegas que je découvris cette ville à mon tour. À l'été 1982, en compagnie de mon épouse, j'étais allé passer trois semaines de vacances en Californie. Notre itinéraire comprenait Las Vegas. Nous connaissions déjà les casinos d'Atlantic City puisqu'à l'été 1979, revenant d'un séjour à Cape May dans le New Jersey, nous avions décidé de nous arrêter quelques heures dans cette ville où les casinos étaient légalisés depuis l'année précédente. Jamais je n'oublierai cette première visite dans un casino.

Dès mon entrée, j'ai entendu l'appel des sirènes. J'ai été ébloui par l'orgie de néons, la multitude de machines à sous et l'ambiance de fête qui y régnait. Je m'y suis senti dans mon élément, comme un poisson dans l'eau. À 13 h 30 cette journée-là, je me suis assis à une table de black-jack dont la mise minimale était de 5 $; je connaissais à peine ce jeu. Ma conjointe a alors décidé d'aller jouer à une autre table. Les heures ont passé. J'ai gagné, j'ai perdu mais surtout je me suis amusé. À un certain moment, mon épouse m'a tapé dans le dos pour me dire qu'elle voulait partir. J'ai regardé l'heure… Il était trois heures du matin. Je n'avais pas vu le temps passer. J'avais attrapé la piqûre…

Atlantic City n'était pourtant que le pâle reflet de Las Vegas, que nous atteignîmes après avoir roulé plusieurs heures dans le désert. Lorsque je l'ai aperçue, je n'arrivais pas à croire qu'une telle ville puisse exister. En plein milieu du désert, une orgie de lumières et des casinos tous plus extravagants les uns que les autres.

Ce premier séjour à Las Vegas s'est déroulé en juillet et la chaleur était insupportable. Cette journée-là, elle atteignait 121 °F. Nous courions sur le Strip pour nous mettre à l'abri de la chaleur torride dans un casino. Les hôtels étaient immenses et les spectacles extraordinaires. Je prenais plaisir à visiter un à un les casinos qui avaient chacun leur style propre. Pas toujours heureux mais quand même. Plus tard, lors de voyages dans les Antilles et en Europe, j'ai eu l'occasion de visiter quelques autres casinos. Pourtant, après avoir connu Las Vegas, plus rien ne pouvait m'impressionner, même pas le casino de Monaco. Las Vegas est active nuit et jour et l'argent n'y a vraiment pas la même valeur qu'ailleurs. J'ai vu au Riviera un type jouer simultanément sur les 7 positions à une table de black-jack : 3 000 $ par position. Il perdait, mais semblait s'en ficher, sirotant son scotch comme si de rien n'était. J'ai vu aussi un Asiatique gagner 100 000 $ en moins d'une demi-heure. Las Vegas est la ville de la démesure.

Entre 1984 et 1991, j'ai occupé un emploi qui m'obligeait à me rendre deux fois par année aux États-Unis pour la tenue de congrès. Lorsque la rencontre n'avait pas lieu à Las Vegas, je m'arrangeais toujours pour aller y séjourner quelques jours à la fin du congrès. En fait, peu importe où se tenait la réunion aux États-Unis, que ce soit Detroit, San Diego, Chicago ou ailleurs, je faisais toujours un détour par Las Vegas. J'y allais pour le jeu mais aussi pour l'atmosphère, les spectacles. Mon épouse m'accompagnait une fois sur deux et nous y avions beaucoup de plaisir. Lorsque j'y allais seul, je me sentais quand même très à l'aise car les casinos sont des endroits parfaits pour les gens seuls. Habituellement, j'y perdais mon budget de jeu, mais le marketing de Las Vegas faisait en sorte que, comme tout le monde, j'étais satisfait de mon séjour dans la capitale mondiale du jeu : des spectacles extraordinaires, des repas et des hôtels bon marché mais excellents. À Las Vegas, nous sommes tous, qui que nous soyons, traités comme des gens riches et célèbres : piscine avec environnement digne d'un Club Med, service irréprochable, cocktails gratuits et à volonté, chambres luxueuses et j'en passe.

Au début des années 1980, Las Vegas ne connaissait pas encore la popularité d'aujourd'hui. Elle traînait toujours sa réputation de ville de perdition car le jeu n'était pas encore accepté socialement en Amérique du Nord. Pour attirer les touristes et les congressistes, la direction des hôtels-casinos devait offrir des prix imbattables. Un petit déjeuner complet coûtait 0,99 $, un bon dîner, 1,99 $ et un souper-buffet, 3,99 $. On pouvait louer une chambre d'hôtel de bonne qualité pour 30 $ par nuit. Aujourd'hui, devant l'engouement de la population pour les jeux de hasard, il n'est plus nécessaire d'offrir de telles aubaines. La prolifération des casinos en Amérique du Nord nous fait hériter de 59 casinos permanents, seulement au Canada. Chez nos voisins, Las Vegas n'a jamais été aussi populaire, et le rêve de chaque joueur est toujours de se rendre au moins une fois dans sa vie dans cette ville.

Au cours de ces années, j'ai eu le privilège de voir la transformation de Las Vegas, pas seulement la transformation physique, mais aussi celle, plus subtile, de sa vocation. Longtemps ville consacrée au jeu où la prostitution était tolérée au grand jour, à Las Vegas, un homme se faisait accoster à l'hôtel, dans la rue, au centre des congrès, partout. Lorsque mon épouse m'accompagnait, dès qu'elle avait le dos tourné, on me faisait des invitations sans équivoque. Progressivement, les autorités de la Ville et des casinos ont chassé les prostituées hors de la vue des touristes et des congressistes. Elles ont compris que l'avenir était à la famille et que la ville devait être purifiée et offrir des spectacles pour tous. Sans l'ombre d'un doute, le pari a été gagné. Las Vegas est maintenant propre, propre, propre, et n'a jamais été aussi prospère. Dix-neuf des 20 plus grands hôtels du monde s'y trouvent, 125 000 chambres y hébergent chaque année 34 millions de touristes qui y dépensent près de 6 milliards de dollars[5]... À titre de comparaison, le Québec tout entier a reçu, en 2000, 21 millions de touristes, et ce fut sa meilleure année de l'histoire.

Ma première visite au Casino de Montréal remonte au mois d'octobre 1993. Une semaine avant l'ouverture officielle, la direction de Loto-Québec avait organisé une série de soirées d'avant-première pour les gens d'affaires de Montréal. J'en étais. Soirée magique, mais, habitué au clinquant de Las Vegas, j'étais un peu déçu de la sobriété de la décoration intérieure, mi-chair, mi-poisson. Après tout, il fallait se démarquer de la concurrence. Je qualifiais alors le Casino de

Montréal de compromis entre l'extravagance des casinos américains et la sobriété des casinos européens. Je me souviens qu'en conférence de presse la direction prévoyait 5 000 personnes par jour. Je savais qu'elle se trompait, qu'elle était trop pessimiste. Partout, en Amérique, il y avait un engouement pour les casinos et les Québécois avaient toujours aimé le jeu. J'avais raison. Il y en a eu trois fois plus, et ce, tous les jours. Les soirs de week-end, on fermait l'accès au casino vers 19 h, car on avait atteint la capacité maximale. Chaque machine à sous était occupée et deux personnes attendaient derrière pour prendre la relève. Même chose aux tables de jeu. Ce furent les belles années du casino, tant pour le personnel que pour la clientèle. Il y régnait une atmosphère de douce folie, de bonne humeur. À cette époque, une soirée au Casino de Montréal était pour moi et bien d'autres une soirée agréable. Le code vestimentaire était très strict, ce qui contribuait à un certain standing, une certaine retenue. Les joueurs étaient de bonne humeur, il n'y avait pas d'agressivité, seulement de l'impatience de la part de clients qui n'avaient pas accès aussi vite qu'ils l'auraient souhaité à une machine à sous ou à une table de jeu. Sans plus. Il faut dire aussi qu'à cette époque, tous les joueurs étaient sur la ligne de départ et tous les espoirs étaient permis car le jeu n'avait pas encore fait ses ravages. Les clients, du moins ceux qui devaient devenir les habitués du casino, n'avaient pas encore englouti leurs économies, et certains perdu leur emploi, leur conjoint. Tous espéraient s'en sortir gagnants ou à tout le moins s'amuser sans perdre leur chemise. Enfin, le casino ouvrait ses portes à onze heures pour les fermer à trois heures du matin. Les joueurs étaient obligés de partir pour aller se reposer et se changer les idées. On les obligeait à être raisonnables, quoi.

L'époque était à l'optimisme. Pourtant, avec les années, les choses ont bien changé.

En abolissant le code vestimentaire, la direction du Casino de Montréal a commis une erreur. Ce lieu est devenu comme une Ronde pour adultes, fréquenté par le même type de clientèle, âgée simplement de 20 ou 40 ans de plus. Il arrive même parfois qu'un joueur dégage une odeur tellement nauséabonde que le service de la sécurité doit lui demander de quitter le casino.

Même les soirs de week-end, les touristes montréalais ou étrangers se font rares au casino. Lorsque vous y voyez un couple très bien vêtu venu y faire un tour après une soirée au théâtre ou au restaurant, ce couple détonne parmi la foule, la clientèle régulière du casino.

Ces premières visites au casino ont été euphoriques. L'excitation m'envahissait même quelques heures avant notre arrivée. J'y pensais dans la journée et j'avais hâte d'y être. Je franchissais ses portes de bonne humeur, convaincu que ce soir-là serait un grand soir, et comme tous les autres qui franchissaient les portes du Casino de Montréal et les centaines de milliers d'autres qui, de par le monde au même moment, franchissaient les portes d'un casino, j'espérais en sortir gagnant. Ce soir-là serait le bon soir car j'étais imbattable et la chance était avec moi. Mon moral était à toute épreuve, j'avais le sourire aux lèvres. Je me rappelle qu'il y avait tellement de monde à cette époque qu'obtenir une place de stationnement dans le parking intérieur du casino était considéré comme un gain !

J'y allais les week-ends avec Linda, ma compagne depuis deux ans. Nous arrivions en fin d'après-midi, et nous y passions la soirée. J'y accumulais des points qui nous permettaient ensuite d'obtenir un repas gratuit. Nous avions du plaisir à être ensemble au casino. Nous nous amusions à jouer sur la même machine à sous. Il faut dire qu'à cette époque, les machines à sous du Casino de Montréal semblaient plus généreuses. Nous gagnions souvent des lots importants. Ensuite, je jouais au black-jack pendant que Linda continuait à jouer aux machines à sous. Au début, nous quittions le casino ensemble, à une heure raisonnable. Ensuite, Linda partait sans moi car je voulais me reprendre. J'avais perdu quelques centaines de dollars qu'il n'était pas question de laisser au casino. J'étais entré dans le collimateur. Je quittais le casino à la fermeture, à trois heures du matin. Plus le casino prolongeait ses heures d'ouverture, plus la durée de mes séjours augmentait aussi.

Le Casino de Montréal est sans doute l'un des casinos les plus rentables au pied carré. Cela s'explique entre autres par une caractéristique de la clientèle que l'on ne retrouve pas dans la majorité des autres grands casinos du monde. Cette clientèle est composée pour une large part de joueurs réguliers : 78 % des clients du Casino de Montréal proviennent de la région de Montréal[6]. Ce qui doit bien faire l'affaire de l'organisme, car les gains et les gros lots remportés reviennent tôt ou tard dans les coffres du casino. Ce n'est pas une clientèle de touristes et de vacanciers, comme à Las Vegas, qui risque de reprendre l'avion avec de gros gains en poche. Comme le temps joue toujours en faveur du casino – ne l'oubliez jamais –, tôt ou tard l'argent gagné, peu importe le montant, revient dans ses coffres. Très rares sont les gagnants qui ont conservé leur gain à long terme.

La pire chose qui puisse arriver à un nouveau venu au casino, c'est de gagner un lot dès sa première visite, et ce peu importe le montant du lot. À moins que cette personne soit complètement indifférente au jeu ou très raisonnable, elle sera piégée à son premier gain. Et, malheureusement, pour une raison que je ne m'explique pas, il y a toujours la chance du débutant. Ce phénomène est universel et confirmé par les statistiques: quand vous entrez pour la première fois de votre vie dans un casino, vous avez d'excellentes chances de gagner. Comme si on voulait s'assurer de bien ferrer le poisson.

Mon premier gros gain au Casino de Montréal, je l'ai réalisé à peine cinq minutes après mon arrivée, un soir de semaine en 1993. Oui, j'avais déjà commencé à aller au casino pendant la semaine. Quelques semaines après l'ouverture du casino, après une réunion d'un conseil d'administration, vers 21 heures j'ai décidé de passer par le casino. Avec 25 $ en poche, je me suis installé devant une machine à sous à 1 $. Pour avoir accès aux lots importants, il faut jouer trois pièces de 1 $ à la fois. J'ai joué 1 $, 2 $, suis revenu à 1 $ et pour mon quatrième coup, j'ai décidé de jouer 3 $... Toutes les lumières se sont allumées, la musique a démarré en trombe et l'appareil m'a indiqué que je venais de gagner 5 000 $. Incroyable. Mon voisin m'a dit que le type qui était là avant moi avait joué une heure sur cette machine sans rien gagner, et moi, en moins d'une minute, je venais de remporter 5 000 $. J'étais abasourdi. Le préposé m'a demandé si je désirais des billets de 100 $ ou de 1 000 $. J'ai demandé des billets de 1 000 $ et, dès que les ai eus en main, j'ai quitté le casino en courant, heureux de mon gain rapide. Je réalise avec le recul qu'à cette époque, je n'étais pas encore intoxiqué. Le lendemain matin de ce premier gain, j'ai annoncé ma chance à mon associé. «Ça tombe bien, m'a-t-il répondu, car nous devons réinvestir chacun 5 000 $ dans l'entreprise.» J'ai accepté de bonne grâce.

C'étaient tout de même 5 000 $ que je n'aurais pas à retirer de mon compte de banque.

Au cours des années qui ont suivi, j'ai gagné plus souvent qu'à mon tour des lots importants aux machines à sous. Trois fois 4 000 $, deux fois 9 000 $, une autre fois 8 000 $. C'était là le début d'une période de ma vie qui allait durer sept ans. Cette période où progressivement je me suis coupé de la réalité ne fut pas toujours noire. Elle a été parsemée de sensations fortes et de poussées d'adrénaline. J'ai même été heureux à quelques reprises. Mais tout compte fait, j'aurais préféré vivre autrement ces sept années. Je me serais même passé de tous les gains que j'ai faits au casino, y compris le gros lot que j'ai gagné en 1999 et dont je vous reparlerai plus loin. Car je considère avoir perdu mon temps pendant sept ans, être passé à côté de quelque chose, un peu comme si j'avais séjourné en prison ; une prison dorée et sans barreaux, mais qui vous restreint dans vos activités. C'est ce que je réalise maintenant que je ne vais plus au casino. J'ai recommencé à m'intéresser à d'autres activités que le jeu. Je m'intéresse de nouveau à la lecture, à l'actualité, aux activités culturelles. J'ai envie d'avoir une compagne dans ma vie et d'exceller dans mon travail. Je redeviens peu à peu ce que j'ai été jusqu'en 1994.

5

Le plaisir n'est pas toujours de mise

Moi qui ai toujours été couche-tôt, j'ai changé radicalement mes habitudes depuis que je fréquente le casino. J'y passe des 5 à 7 prolongés, arrivant après le travail vers 17 h 30 et repartant vers 7 h le lendemain matin, sauf les week-ends, où là je fais souvent le tour de l'horloge. Heureusement que je ne fais pas les 5 à 7 tous les jours, mais dans les derniers mois c'était mon programme deux fois par semaine. Étant un type très observateur, durant toutes ces heures passées au casino j'ai été témoin de beaucoup de drames, de situations cocasses et de petits bonheurs. J'ai condensé dans ce chapitre quelques-uns de ces instants.

Je n'ai jamais aimé aller au casino le premier week-end du mois, car il y a une foule exceptionnellement importante.

Comme tous les joueurs réguliers, je n'aime pas jouer lorsqu'il y a trop de monde car les places aux tables sont plus rares. Cela nous enlève la liberté de changer de table à notre guise, ce qui constitue, croyons-nous, un désavantage pour nous. Ce premier week-end du mois, les croupiers l'ont surnommé par dérision « le week-end des millionnaires », car c'est le week-end où les joueurs bénéficiaires de la sécurité du revenu viennent faire leur tour au casino. Ils ont reçu leur chèque mensuel et le remettent en tout ou en partie au gouvernement en quelques jours au plus.

J'essaie toujours d'arriver le vendredi en fin d'après-midi. J'ai environ 700 $ en poche, à peu près ma paie hebdomadaire. Si je perds cet argent, je devrai attendre une semaine avant de revenir, racler les fonds de tiroirs pour acheter le strict minimum et faire patienter (encore) quelques créanciers. Mon objectif est d'aller chercher 500 $ de gain ; c'est suffisant. Comme je n'ai rien planifié pour la soirée et que je suis seul, je sais très bien que ce ne sont là que de belles paroles raisonnables qui s'envoleront en fumée dès que je franchirai les portes du casino. Il n'est pas question que je m'en aille rapidement, même si je gagne gros.

Les croupiers et les chefs de section de jour achèvent leur journée. Ils sont de bonne humeur. Certains débutent un long week-end, d'autres reviendront le lendemain à 6 heures. Il n'y a pas encore beaucoup de monde à l'intérieur. Les groupes de l'âge d'or venus en autobus sont partis vers 15 h et la clientèle du vendredi soir se pointera entre 19 h et 22 h. Dès mon arrivée, je m'assoie à une table de poker des Caraïbes ou à une table de black-jack dont la mise minimale est de 25 $. Je joue calmement. Si je choisis le black-jack, il m'arrive de gagner ou de perdre 300 $ dans un sabot*, mais je ne suis pas pressé. En fait, même si j'ai atteint mon objectif de 500 $, je continue à jouer. Je sais très bien que je ne quitterai pas le casino avant plusieurs heures. J'oublie ma promesse rapidement. Un joueur n'a pas de parole, même envers lui-même. Si j'atteins le seuil du 1 000 $ de gain, il m'arrive parfois, à la fin du sabot, de changer mes jetons pour des valeurs plus élevées et de devenir prudent. Je sais par expérience qu'il est très rare d'obtenir un deuxième sabot favorable, car hélas, la chance tourne.

Si après trois mains de ce nouveau sabot, ça ne va pas pour moi, je quitte la table pour aller tenter ma chance à mon deuxième jeu favori : le poker des Caraïbes.

Il est alors près de 19 h et la foule se fait plus dense. Là, je risque 100 $, l'équivalent d'une heure de jeu si je ne suis pas trop malchanceux. Le poker des Caraïbes est un jeu de cartes où le croupier distribue cinq cartes à chacun des joueurs de la table ainsi qu'à lui-même. C'est comme le poker sauf que les joueurs ne peuvent pas changer de cartes. Il peut y avoir jusqu'à sept joueurs. Chaque joueur est indépendant. Nous jouons individuellement contre le croupier et pour l'un des lots, qui vont de 50 $ au lot maximum, qui peut atteindre plus de 200 000 $ puisqu'il est cumulatif. Ce gros lot est gagné lorsque dans vos cinq cartes vous avez la quinte royale, c'est-à-dire dix, valet, dame, roi et as de la même série, cœur, carreau, trèfle ou pique. Une chance sur peut-être un million. Pour battre le croupier et gagner l'équivalent de votre mise, vous devez avoir un jeu supérieur au sien. Les lots s'ajoutent à

---

* Le sabot est la boîte qui contient les six jeux de cartes de la partie. On appelle familièrement un sabot une session de jeu au black-jack.

votre gain si vous avez par exemple, une quinte, une couleur, ou quatre cartes pareilles, telles que quatre valets. Mais pour avoir droit à un lot, vous devez participer à la cagnotte, c'est-à-dire payer 1 $ à chaque jeu.

Après une heure de jeu, si je ne suis pas gagnant, ou si je perds trop souvent, je demande un jeton de réservation pour aller souper. Au Casino de Montréal, il est possible de réserver sa place à une table de jeu pour une période pouvant aller jusqu'à 1 h 30 pour aller se restaurer. Au poker des Caraïbes, les places sont rares, surtout si le gros lot dépasse les 100 000 $. Il est donc recommandé de réserver son siège, quitte à ne pas revenir si on change d'idée. Par contre, si je suis très chanceux, je reste, oubliant d'aller souper, me disant que je pourrai toujours aller au snack-bar m'enfiler un hot dog. Mais, le plus souvent, je passe tout droit, me nourrissant de café et de jus de tomate.

Lorsque le gros lot du poker des Caraïbes est remporté, il y a souvent une histoire rattachée à ce gain – je vous raconterai la mienne un peu plus tard. En attendant, voici celle d'un joueur malchanceux et d'une joueuse très chanceuse. C'était un dimanche après-midi de la fin de l'an 1999, il y avait foule au Casino de Montréal. À cette époque, on se préparait fébrilement à changer de siècle, à vivre un moment historique que l'on souhaitait sans le fameux bogue de l'an 2000 qui continuait à en énerver plusieurs. Pourtant, ce qui causait le plus d'excitation au casino, c'était le gros lot du poker des Caraïbes, d'un montant de plus de 260 000 $, un sommet historique. Depuis plusieurs semaines, toutes les places aux douze tables reliées à ce gros lot progressif étaient toujours occupées. Certains couples se relayaient même pour ne pas rater la chance de rafler le gros lot. On jouait 24 heures par jour à certaines tables et, aux autres, les places étaient prises plusieurs heures avant leur ouverture. C'était la folie. Les habitués de ce jeu, dès leur réveil le matin, téléphonaient au casino pour savoir si le gros lot avait été gagné pendant leur absence. Si la réponse était négative, ils se dépêchaient de se rendre au casino très tôt dans la matinée pour s'assurer une place. Tous les joueurs rêvaient à ce cadeau de Noël digne d'une fin du siècle : plus d'un quart de million de dollars exempts d'impôts.

C'est sans doute à cela que pense M. Tremblay (nom fictif) lorsqu'il s'assoit sur son siège en sixième place, l'avant-dernier de la table. Celle-ci n'ouvre pas avant une heure. Peu importe, comme il s'agit d'une table dont la mise minimale n'est que de 5 $, les places sont rares, surtout en ce dimanche. M. Tremblay est un habitué, comme la plupart des joueurs à sa table. Parmi ces habitués, Mme Wong (nom fictif), accompagnée de son mari qui prendra la relève à l'occasion, lorsque sa femme voudra se rendre aux toilettes ou au restaurant. Comme tous les heureux joueurs qui ont obtenu une place, pas question de quitter le casino avant la fermeture de la table, prévue à 3 h du matin, et il n'est même pas 11 h... À moins que le gros lot soit remporté aujourd'hui. La semaine précédente, j'y avais fait un marathon de 24 heures à une table qui demeure toujours ouverte. Pendant ces 24 heures je n'ai perdu que 100 $. J'ai failli remporter le gros lot – il ne me manquait que le roi de cœur – mais la chance n'était pas avec moi. Vers la fin de cet après-midi, donc, les 84 joueurs continuent à chaque trois minutes, le temps d'une partie, d'ouvrir, qui rapidement, qui très lentement, leurs cartes, mais personne n'a la fameuse quinte royale. Certains joueurs vont regarder leurs cinq cartes durant de longues secondes comme s'ils espéraient que le deux de pique se transforme en as de pique et ainsi de suite. Un croupier m'a déjà dit à la blague: « S'ils en ont fumé du bon, il est possible pour eux que les cartes changent. »

Le gros lot continue à grimper, franchissant chaque heure une nouvelle marque. M. Tremblay n'a plus de jetons blancs de 1 $ pour participer à la cagnotte, et il veut changer 5 $ pour en acquérir d'autres et miser son jeton mais, à la dernière seconde, il décide de passer un tour, voulant changer le jeu. Le croupier distribue les cartes, jusqu'au cinquième joueur; l'abandon temporaire de M. Tremblay n'affecte en rien le déroulement de la partie mais le sixième jeu de cinq cartes destiné au sixième joueur, c'est-à-dire M. Tremblay, va au septième joueur et le jeu du septième joueur va au croupier. Mme Wong regarde ses cartes, celles que devait avoir M. Tremblay s'il n'avait pas passé son tour. Derrière elle, son mari laisse échapper un cri: son épouse a en main la quinte royale; elle gagne le gros lot de plus de 260 000 $. M. Tremblay perd au même instant plus d'un quart de million de dollars… Il se souviendra toute sa vie de cette fin de siècle. Chance et malchance.

Avant le souper, je joue quelques dollars dans les machines à sous, une détente qui me coûte habituellement entre 60 $ et 80 $. « Belle détente », me direz-vous et vous avez raison. Mais lorsque vous êtes à l'intérieur du casino, l'argent n'a pas la même valeur. À l'extérieur, comme tout le monde je cours les aubaines, je fais le plein où l'essence est moins chère, dans les restaurants je prends le « spécial du jour » et avant que je dépense 100 $ pour une chemise ou 20 $ pour un disque, j'y pense deux fois. Au casino, je fais des retraits au guichet automatique à coups de 500 $ sans aucune hésitation, comme s'il s'agissait d'argent de Monopoly. Je change cet argent en jetons que je m'empresse de miser. Je suis loin d'être le seul à agir ainsi. Je me rappelle un dimanche après-midi où j'étais assis à une table de poker des Caraïbes. Ma voisine a ouvert son sac pour en sortir 2 billets de 100 $. Elle m'a ensuite regardé, m'a souri et m'a montré des coupons-rabais d'épicerie en me disant : « C'est incroyable, je découpe avec précaution ces coupons pour épargner 0,50 $ sur une boîte de biscuits et là, je change 200 $ sans aucun remords. Ce qu'on peut être fou ! »

Le choix du souper dépend de mon humeur. Si je suis perdant, je vais au plus rapide, c'est-à-dire au snack-bar. Si je suis gagnant, je vais au cinquième étage prendre un repas plus élaboré. Je vais généralement manger seul. Je ne vais pas au casino pour socialiser. Même lorsque j'avais accès au salon VIP, je m'y rendais la plupart du temps seul et je socialisais rarement avec les autres joueurs présents. Je ne suis jamais allé au casino pour me faire des amis ou pour établir des relations d'affaires. C'est probablement le pire endroit pour cela !

Rares sont les clients qui s'éternisent aux différents restaurants du casino. On y sert probablement beaucoup plus de repas par table que dans n'importe quel autre restaurant – excepté les *fast-foods*. Malgré cela, certains clients sont toujours plus pressés que d'autres. Un soir, près de ma table au restaurant du cinquième étage, un couple dans la trentaine. Le type est très nerveux, il ne tient pas en place. Il n'a pas touché à son assiette et regarde impatient sa compagne qui vient à peine de commencer son repas. Tout d'un coup, il ne tient plus et lui dit : « Viens-t'en, on n'est pas venus ici pour le restaurant mais pour jouer. » Il demande l'addition pendant que sa compagne tente de manger le plus vite possible. Il règle rapidement la note, se lève et court pour attraper l'ascenseur.

Dans l'ascenseur qui me ramène à l'étage des tables de jeu, nous sommes six, dont un type assis dans un fauteuil roulant, à qui il manque les deux jambes. Comme dans tous les ascenseurs, c'est le silence complet. L'handicapé lève la tête vers moi et me dit en souriant : « Je jure que je ne remettrai plus jamais les pieds au casino de toute ma vie. » C'est l'hilarité générale dans la cage d'ascenseur ; cela fait du bien de rire, je l'avais oublié. Merci à cet homme charmant qui a détendu l'atmosphère pour quelques secondes.

Vers 21 h 30, je reprends ma place à la table de poker des Caraïbes. Il y a foule au casino. Cette clientèle du soir va rester quelques heures, soit jusque vers 1 h du matin. Parmi cette clientèle, quelques-uns se rendaient voir le spectacle au Cabaret du Casino mais, arrivés trop tôt, ils ont décidé de passer le temps devant une machine à sous ou à une table de jeu. Le temps passe et ils sont toujours cloués à leur siège, préférant le jeu au spectacle. Ils se déculpabiliseront en disant que de toute façon la critique pour le spectacle n'était pas trop élogieuse. Je les écoute, indifférent. Je les comprends trop bien. Je risque un autre 100 $, misant très prudemment pour être en mesure de jouer au moins jusqu'à minuit, dépendant de ma chance ce soir-là. Si je suis chanceux, je vais persévérer à ce jeu jusqu'à ce que le vent tourne. Je dois dire qu'en général je m'en tire sans trop de casse. À ma table, il y a des joueurs qui sont là depuis son ouverture ce matin. Ils n'ont pas bougé et n'iront pas manger de peur que le gros lot soit remporté pendant leur absence. Certains, pour espacer leurs visites aux toilettes, portent des couches pour adultes. Les joueurs qui ne veulent pas quitter leur place au poker des Caraïbes profitent du changement de jeux de cartes – trois ou quatre fois par

24 heures – pour aller à l'essentiel. Lors d'un changement de cartes, le jeu arrête pendant environ 10 minutes.

S'il n'y a que 25 % de fumeurs au Canada, ils doivent tous se trouver dans les casinos ! Car à vue d'œil, il doit bien y avoir 75 % de fumeurs parmi la clientèle. Au Casino de Montréal, on a l'impression à certains endroits que la fumée fait du surplace. Faut dire que les joueurs sont en général des gens très nerveux, alors une cigarette n'attend pas l'autre. Certains joueurs même s'amusent à enfumer le croupier – peut-être est-ce là une autre superstition car, vous savez, les joueurs sont très superstitieux. Les croupiers devraient avoir droit à une prime de risque lorsqu'ils sont assignés à une table de jeu dans une section de fumeurs. Leurs pauvres poumons font face à sept fumeurs à la chaîne qui sont comme à un concours de celui qui fumerait le plus grand nombre de cigarettes en moins d'une demi-heure !

Aux machines à sous, plus rien ne m'étonne. Plusieurs joueurs parlent à leur machine, la flattent, l'engueulent, l'adoptent, lui jurent fidélité comme s'ils pouvaient l'amadouer. J'ai vu une joueuse faire pratiquement l'amour à sa machine. À chaque mise, elle se levait, se frottait à sa machine, l'enlaçait de ses deux bras, lui parlait à voix basse et ensuite se retournait, frottant ses fesses contre la machine, pour enfin se rasseoir et tirer le bras… Elle recommençait le même scénario à chaque mise. Mais, à son grand désespoir, la machine à sous restait froide à ses avances.

Certains joueurs ne quitteront pas leur appareil pour des périodes de 18 ou 24 h, parfois plus. À Las Vegas, il n'est pas rare de voir des joueurs de machines à sous tomber inconscients, épuisés. Leurs voisins immédiats ne les regardent même pas, ne s'y intéressent pas, trop occupés à jouer, et de mauvaise grâce, interrompront leur jeu pour faire place aux ambulanciers. On dit que la boisson rend l'homme pareil à la bête, mais le jeu le rend parfois pire. Heureusement, au Casino de Montréal, on permet aux joueurs de machines à sous de quitter leur appareil sans perdre leur place, pour une période de quinze minutes, le temps d'aller aux toilettes, au guichet automatique ou d'avaler un sandwich au snack-bar.

Des gros lots sont régulièrement remportés aux machines à sous. Régulièrement aussi, beaucoup d'argent est perdu. La triste histoire du joueur qui vient à peine de céder sa place pour voir le joueur suivant remporter le gros lot se répète tous les jours. Chance et malchance.

Étant un habitué du Casino de Montréal, il m'est arrivé d'être du bon côté de la clôture et parfois du mauvais. Je me rappelle un certain vendredi où j'ai décidé, comme d'habitude, d'aller au casino après le travail. Il y avait un îlot de huit appareils à 1 $ dont le gros lot progressif était rendu à 45 000 $. Habituellement, ce gros lot est remporté à plus ou moins 35 000 $. Dès mon arrivée, une machine s'est libérée que j'ai prise aussitôt. Je m'assois. J'ai le pressentiment que cette machine est la bonne. Je joue une demi-heure, gagnant, perdant, me retrouvant kif-kif. À cette époque, je commençais à jouer à la roulette. Je décide alors de quitter ma machine pour aller à la roulette. Le hasard fait en sorte que je repasse devant cet îlot vingt minutes plus tard. Il y a foule, et pour cause... Celui qui a pris ma place a gagné le gros lot de 45 000 $. J'ai quitté le casino en état de choc et je n'ai pas dormi de la nuit.

À une autre occasion, je m'installe devant un appareil et gagne rapidement un lot de 4 000 $. Ma voisine de droite me regarde, étonnée et déçue : elle venait à peine de quitter cet appareil. Découragée et frustrée, on le serait à moins, elle quitte la section. Quelques minutes plus tard, arrive une collègue du travail qui m'avait accompagné. Elle décide de jouer quelques pièces de 1 $ dans l'appareil laissé libre par la cliente malchanceuse. Elle aussi gagne un lot de 4 000 $! Chance et malchance.

Lorsqu'un client non régulier – un touriste, comme on les appelle – remporte un quelconque lot aux machines à sous, c'est souvent le délire parmi les gens qui l'accompagnent. Les joueurs réguliers s'informent, imaginant que la personne vient de gagner plusieurs milliers de dollars. Plus souvent qu'autrement, c'est seulement un gain de 100, 200, 500 pièces de 0,25 $ qu'elle a remporté. Comme quoi tout est relatif et qu'il n'est pas nécessaire de gagner un gros lot pour être satisfait de sa visite au casino… si on est un joueur récréatif, bien entendu.

Je devine qu'il est minuit à l'achalandage inhabituel devant les guichets automatiques. Nous avons tous le droit de retirer de notre compte chèque une certaine somme d'argent quotidiennement : 200 $, 500 $, 1 000 $ ou plus selon le crédit de chacun. C'est ce qui explique les files devant les guichets automatiques à minuit. Une nouvelle journée commence, de nouveaux retraits sont possibles et de nouveaux espoirs de gagner naissent. Il m'arrive parfois d'y faire la queue. Comme tous les autres devant moi, je suis impatient, j'ai l'impression que le client présent au guichet le fait exprès pour prendre son temps. Souvent, s'il y a trop de monde, c'est-à-dire trois personnes ou plus, je vais voir à un autre guichet presque en courant. En attendant au guichet, je croise des connaissances qui, comme moi, n'ont pas été chanceuses. Il y a une règle non écrite chez les habitués du casino : le respect de l'anonymat. Si parfois nous fraternisons, nous n'allons pas plus loin. Lorsque nous nous rencontrons, nous nous saluons, sans plus. On se dit quelquefois notre prénom mais rarement. Chacun préserve sa vie privée et préfère l'anonymat. La direction des casinos a compris cela depuis longtemps car elle interdit les caméras. Il est plus facile d'entrer dans un casino avec une arme qu'avec une caméra. Sans révéler leur identité, certains joueurs racontent toutefois leur histoire, ce que le jeu leur a fait perdre. Je connais celle de plusieurs joueurs compulsifs. Tristes histoires, parfois encore plus pathétiques que la mienne. Plus loin, j'en raconte quelques-unes.

Les joueurs sont très superstitieux, certains plus que les autres. N'allez jamais souhaiter bonne chance à un joueur ou lui dire que ça va bien pour lui. J'ai vu des joueurs changer de table parce qu'il y avait à cette table un joueur qui leur portait malchance. Un joueur asiatique a soudainement quitté la table où je jouais alors qu'elle nous était profitable. Je me suis informé pourquoi il partait. Il m'a indiqué une femme qui venait de se joindre à nous. Il semble que les femmes aux tables de jeu lui portaient malheur…

Vers une heure du matin, alors que la foule des joueurs récréatifs et des curieux commence à partir, je me dirige vers les tables de black-jack, espérant y gagner quelques centaines de dollars ou retrouver l'argent que j'ai perdu. Mon objectif du début de soirée de m'en aller avec 500 $ de gain est ramené à 200 $ ou, si je suis très fatigué, seulement à retrouver l'argent perdu. Si j'ai plus de 500 $ en poche, je vais à une table où la mise minimale est de 25 $. Si toutefois j'ai moins de 500 $, je joue à une table où la mise minimale est de 10 $ ou 15 $. Si j'opte pour une table à 10 $ ou 15 $, je sais que je risque d'y passer la nuit car il est difficile de gagner quelques centaines de dollars à 10 $ la mise.

Parmi tous les jeux de hasard offerts dans un casino, c'est au black-jack que les probabilités de gains de la maison (le casino) sont les plus faibles. Mais à ce jeu, le temps joue toujours en faveur de la maison : plus un joueur s'attarde à une table, plus ses chances de perdre augmentent. En général, les joueurs réguliers jouent de longues heures. Les chances reviennent donc du côté de la maison. De plus, dans les casinos du Québec – contrairement à la grande majorité des casinos américains –, le croupier n'arrête pas au compte de 17 facile (exemple : As et six, l'as ayant la valeur de 1 au lieu de 11), il tire plutôt d'autres cartes pour se rendre au compte minimal de 17, ce qui augmente à mon avis les chances de la maison.

Par moments, à ma table de black-jack, je suis le seul joueur face au croupier. Je n'aime pas vraiment une telle situation car le jeu se déroule trop rapidement et cela attire immanquablement les curieux. Ils croient peut-être avoir affaire à un joueur professionnel, un James Bond du black-jack qui essaie de faire sauter la banque. Comme dans les films, quoi. Mais très souvent, lorsque le croupier est seul à sa table alors que ses collègues des tables voisines sont occupés, cela signifie que ce croupier est dans une période de chance terrible ; vaut mieux ne pas l'affronter et le laisser regarder le mur en face de lui.

Si je suis chanceux au black-jack, il y a souvent un joueur qui vient miser derrière moi, sur mon jeu (c'est permis au Casino de Montréal), profitant ainsi de ma veine. Ceux qui agissent ainsi sont selon moi les plus sages, car ils peuvent se retirer en tout temps.

La majorité des joueurs réguliers de black-jack jouent selon la stratégie de base. Ils ne jurent que par cette stratégie, développée aux États-Unis dans les années 1960 par Edwin O.

Thorpp[7]. Mais dites-vous bien que si cette stratégie était si efficace, il n'y aurait plus de tables de black-jack dans les casinos. En fait, la direction de tous les casinos du monde aime bien que les joueurs utilisent cette stratégie. Cela signifie qu'ils sont des joueurs réguliers ; donc qu'ils reviendront et joueront plus longtemps que le joueur récréatif qui, selon son instinct et s'il est chanceux, partira avec un gain de quelques centaines ou quelques milliers de dollars, au grand désespoir du chef de section qui ne veut surtout pas qu'une table soit perdante dans son îlot de surveillance. Un joueur de black-jack récréatif ou qui ignore, volontairement ou non, la stratégie de base aura beaucoup de difficulté à jouer à sa manière à Montréal car les autres joueurs, pour la plupart des joueurs réguliers, mettront beaucoup de pression sur lui, l'insulteront même, pour l'amener à jouer comme eux, selon la sacro-sainte stratégie de base, même s'ils perdent. Ils perdent alors avec honneur puisqu'ils ont suivi la bible du black-jack, comme de vrais petits soldats. Croyez-moi, ils perdent plus souvent qu'ils gagnent. Parfois, j'ai l'impression que certains joueurs réguliers préfèrent perdre parce qu'ils ont adopté la stratégie de base que de gagner en jouant selon leur instinct !

Comme tout joueur compulsif, j'ai toujours été convaincu qu'un jour, je gagnerais régulièrement. Que je récupérerais mes pertes. Il fut même un temps où je croyais avoir trouvé la recette miracle pour battre le croupier au black-jack. J'avais déjà lu à peu près tous les livres publiés sur ce jeu, soit une vingtaine ayant chacun leur recette infaillible. Certains auteurs se vantaient d'être devenus millionnaires grâce à leur méthode. Pour quelques vulgaires dollars, ils étaient prêts à vous céder la clé du coffre au trésor. Imaginez, ils avaient découvert la martingale infaillible et, dans un esprit de partage, étaient prêts à vous en faire profiter! Quelle grandeur d'âme et quelle générosité de leur part! J'ai essayé ces différentes recettes à succès, sans doute comme des millions d'autres joueurs aussi naïfs que moi. Résultat: je ne suis pas millionnaire et ces auteurs, s'ils le sont, c'est probablement davantage grâce aux recettes de la vente de leur livre que grâce à leurs stratégies de jeu à toute épreuve.

J'en suis pourtant venu à une conclusion, assez juste je crois. La voici: la possibilité de sortir gagnant d'une séance de black-jack est proportionnelle à la durée de cette séance. Plus la séance est courte, meilleures sont vos chances de sortir gagnant. En fait, la seule façon de limiter les dégâts et de sortir gagnant à l'occasion est d'utiliser la tactique de la guérilla qu'emploie un petit pays contre un envahisseur plus grand en nombre et beaucoup plus fort que lui. Souvenez-vous du Viêtnam. Transposons cette tactique de la guérilla au jeu: vous frappez fort et vous vous retirez rapidement, directement de la table à votre voiture, ou à l'autobus, sans vous laisser distraire. Il faut se battre pour remporter de petites batailles, pas pour gagner la guerre. Malheureusement, étant compulsif, je n'ai jamais réussi à mettre en pratique ma recette sur une longue période. Les rêves de gagner ma vie avec le black-jack n'ont pas fait long feu. S'il m'arrivait d'employer la tactique de la guérilla avec succès pendant plusieurs jours, voire quelques semaines, très vite à la énième séance de jeu, je retombais dans le piège et tous mes petits gains accumulés au cours des séances précédentes s'envolaient en une ou deux fois. Je m'obstinais à continuer de jouer, même si rien ne fonctionnait pour moi. Je restais à découvert devant l'ennemi qui s'en donnait à cœur joie. J'aurais fait un très piètre maquisard.

Au début de la nuit, la foule étant moins dense, on voit davantage les mouettes. On appelle mouettes des joueurs sans le sou, habitués du casino, qui se collent à un autre joueur dans l'espoir d'être récompensés en cas de gain. Ils savent repérer les nouveaux joueurs et les joueurs réguliers qui aiment bien avoir leur cour auprès d'eux. Il y a les mouettes discrètes, celles qui se placent derrière le joueur et attendent docilement que ce dernier leur donne un jeton de 1 $ – ou plus s'il est en veine et de bonne humeur –, le rôle de la mouette étant d'encourager le joueur et de le féliciter lorsqu'il gagne. Et il y a les mouettes entreprenantes, près du joueur, qui l'encouragent bruyamment, le conseillent même, s'assoyant à côté de lui s'il y a de la place. L'une de ces mouettes était assise près de moi un soir, et appelait sans cesse un black-jack pour moi. Lorsque j'ai eu un black-jack, elle m'a dit que c'était grâce à elle et m'a demandé un pourboire!

Il y a aussi les petits arnaqueurs, qui rôdent très discrètement car le service de sécurité du Casino de Montréal est omniprésent. Certains réussissent quand même à soutirer de l'argent à des joueurs naïfs. Il y en a un en particulier qui sévit à Montréal. Il est dans la trentaine et a toujours un beau sourire. Il s'assoit à votre table et vous aborde en vous demandant si vous avez continué à gagner la semaine précédente – il sait reconnaître les clients – et vous informe qu'il était assis à votre table et que les choses semblaient bien aller pour vous. Ah bon ! Vous ne vous en souvenez pas et vous continuez à jouer... Il vous dit tout bonnement qu'il attend de l'argent que sa copine est allée chercher, sans plus. Si vous gagnez quelques mains, il vous félicite, il est content pour vous. Ensuite, il vous demande de lui prêter 25 $ ou 50 $ qu'il vous rendra, c'est certain. Si vous lui prêtez et qu'il gagne sa main, il vous rembourse l'argent emprunté, garde le gain et s'en va. S'il perd, il vous informe qu'il va au guichet automatique chercher de l'argent pour vous rembourser. Bien entendu, il ne revient jamais.

Également présents au casino, surtout dans la section des hautes mises, sont les *shylocks*. Un joueur compulsif sur cinq ferait affaire avec de tels prêteurs à taux usuraires[8]. Heureusement pour moi, je n'ai jamais fait affaire avec eux ni avec des prêteurs sur gage.

Les heures passent et je m'aperçois qu'il est déjà 2 h du matin. Je suis toujours en black-jack de rattrapage, ce qui signifie que je joue nerveusement et que je n'ose pas augmenter ma mise. J'engloutis café par-dessus café. C'est souvent l'heure des confidences de certains joueurs. L'heure de vérité pour plusieurs. Une soirée qui leur a coûté cher, trop cher, au point qu'ils n'osent rentrer chez eux. Ils s'en veulent d'avoir perdu la tête, se demandent comment ils feront pour faire face à leurs obligations financières. Près de moi, une femme demande à son mari comment il expliquera aux enfants qu'ils n'iront pas en vacances cet été comme prévu…

En revenant des toilettes, je remarque un joueur qui joue seul à une table de black-jack. Il est de très mauvaise humeur, refusant qu'il y ait d'autres joueurs à sa table. Je n'insiste pas. Le lendemain, j'apprends qu'il s'agissait d'un Américain qui devait se rendre à Plattsburgh avec sa fille pour l'inscrire au collège. Il avait décidé de continuer jusqu'à Montréal – qui était tout près – et avait découvert le casino pour y perdre les 15 000 $ US prévus pour payer les frais de scolarité de sa fille.

Vers 3 h du matin, un attroupement se fait rapidement à l'entrée du bar du premier étage. Ma table de black-jack est à quelques mètres à peine. Je me retourne pour constater qu'il y a un individu étendu par terre, un homme dans la cinquantaine, qui vient de s'effondrer ; tout autour de lui c'est la panique, les gens crient à l'aide. Deux agents de sécurité arrivent promptement sur les lieux ; on lui fait le bouche-à-bouche tout en massant son cœur. D'autres agents arrivent, délimitant un périmètre de sécurité. Malgré les efforts des agents, le malheureux ne bouge toujours pas. Respire-t-il ? Je ne saurais le dire. Une cliente suggère de prendre son portefeuille pour l'identifier et dire son nom au micro ; peut-être est-il venu avec quelqu'un qui connaît son état de santé, il a peut-être des pilules à prendre. On ne l'écoute pas ! La cliente s'en va, horrifiée d'une telle attitude. Quelque 20 minutes plus tard, les ambulanciers d'Urgences-Santé arrivent avec une civière. Ils prennent la relève des agents qui n'avaient pas cessé de masser la victime. Ils lui masseront le cœur tant qu'ils seront à la vue du public, après je ne sais pas. Le lendemain, j'apprendrai que la victime est morte.

Les zombis errent derrière les tables espérant l'impossible. Il y en a un qui m'offre de me vendre à bon prix un coupon pour un repas gratuit. Je mets mes mains dans mes poches et en ressors cinq coupons identiques : pas de chance pour lui ! Bienvenue à Zombiland. Je continue de jouer jusqu'au moment où le chef de section nous annonce que la table fermera après le sabot. Merde, il est déjà 5 h du matin, l'heure à laquelle les tables de black-jack dont les mises minimales sont inférieures à 25 $ ferment pour quelques heures.

Si j'ai récupéré mon argent de départ, je m'en irai sagement, dans la mesure où il est sage de quitter le casino à 5 h du matin. Si je suis encore dans le rouge mais pas trop, j'irai aux tables de 25 $ qui, elles, ne ferment pas. La plupart du temps, il ne me reste que quelque centaines de dollars, donc pas assez pour m'asseoir à une table de 25 $. Je dois attendre à 10 h, à la réouverture des tables de mises inférieures. Je me dirige vers ma voiture où je m'assoupis quelques heures pour ensuite déjeuner et jouer aux machines à sous.

Si je suis resté aux tables, je verrai la relève de la garde. Les croupiers et les chefs que j'ai vus partir la veille sont de retour, frais et dispos. Ils nous saluent, ne s'étonnent pas de nous voir encore là. Dans mon cas, je crois que c'est le contraire qui les étonnerait ! En fait, il n'y a plus rien qui les étonne. Ils ont tout vu, eux aussi, et certainement plus que moi.

Les employés du casino ne sont pas tous indifférents au jeu mais, comme ils ne peuvent pas jouer dans les casinos du Québec, ils doivent se déplacer à l'extérieur de la province pour le faire. Vous en retrouverez certains au casino d'Akwesasne. Régulièrement, des voyages sont organisés pour eux à Atlantic City ou à Las Vegas. Quelques-uns d'entre eux ont aussi développé une dépendance au jeu. Faut croire que l'exemple des joueurs qu'ils côtoient régulièrement ne les a pas convaincus des dangers. Je me souviens d'un croupier – que j'appellerai Tom – qui m'était très sympathique et avec qui je discutais parfois de divers sujets. Un soir, je m'assois à sa table. Nous nous saluons et, quelques minutes plus tard, Tom entreprend le battage. La table se vide de ses autres joueurs, partis tenter leur chance à une autre table durant le battage. Pour un joueur compulsif, au black-jack, pas question de perdre ne serait-ce qu'une minute de jeu ; la dose doit être continuelle, sans interruption. Tom profite de l'absence des autres joueurs pour me demander de lui prêter 500 $ jusqu'à sa prochaine paie. Il revenait d'un voyage au casino d'Akwesasne et avait perdu. Il avait des obligations urgentes à rencontrer. Je n'avais pas cette somme sur moi. Je la lui aurais prêtée, même si cela porte malheur de prêter de l'argent dans une enceinte de jeu.

Enfin 10 h. Les places aux tables de black-jack à 5 $ sont prises depuis une bonne heure. Malgré mes deux heures de sommeil, je suis un peu zombi, mais j'essaie de me contrôler et de ne pas miser trop fort. Cependant, lorsqu'on perd et que l'on est fatigué, on prend souvent les mauvaises décisions. Autour de moi, plusieurs, comme moi, y ont passé la nuit. La direction devrait tenir un registre pour le nombre d'heures passées au casino sans interruption par certains joueurs. Ce serait digne du Livre Guinness des records.

Vers 11 h, la clientèle du jour arrive. Nous distinguons ceux qui ont passé la nuit, pas seulement à leur figure pâle mais également à leurs vêtements. Certains sont venus, comme moi, après le travail, sans avoir enlevé veston et cravate. Ils détonnent dans le décor du samedi matin. Nous sommes les marathoniens du casino. Le mien se termine généralement entre 13 h et 18 h, rarement plus tard. Je quitte le casino fatigué, désabusé. Même si j'ai réussi à récupérer mon argent et à réaliser un petit gain, c'est très cher payé. À deux reprises j'ai failli avoir un accident d'auto sur le chemin du retour parce que j'étais épuisé. Cela aussi porte à réfléchir lorsqu'on fait le bilan des pour et des contre du casino comme activité principale de notre vie. Arrivé chez moi, tout déboussolé, je ferme les rideaux et dors plusieurs heures, parfois quinze heures d'affilée, mais jamais sans avoir fait, au préalable, le décompte. D'un côté, l'argent, et de l'autre, les relevés des retraits aux guichets automatiques. Parfois, additionner le montant des retraits me donne le vertige. Le dimanche après-midi, il m'arrive de retourner au casino, cette fois-ci pour quelques heures seulement, dans le but de me « refaire ». Parfois, j'y vois des habitués du vendredi qui y sont toujours. Lorsque arrive le lundi matin, j'ai l'impression qu'il manque une journée à mon week-end.

6
Un deuxième cancer...

Lentement mais sûrement, j'ai pris l'habitude d'aller au casino quelques soirs par semaine. Lorsque Linda m'a quitté – devinez pourquoi –, j'ai augmenté la fréquence de mes visites. Je n'ai même pas cherché à trouver une nouvelle compagne. J'étais trop occupé avec ma passion : le casino. L'argent provenait de mes économies, ensuite de mes REÉR que je liquidais à coup de 5 000 $. Heureusement, je gagnais parfois un lot de quelques milliers de dollars. Non pas pour réinvestir dans mes REÉR, mais bien pour me permettre de jouer quelques semaines, quelques mois de plus avant de retirer un autre 5 000 $.

À cette époque, j'étais associé avec un ami dans une entreprise de presse. Nos bureaux étaient situés au centre-ville.

J'allais au casino quelques soirs par semaine mais j'étais encore raisonnable : je quittais toujours vers minuit. Le succès de mon entreprise me tenait vraiment à cœur et j'y consacrais toute mon énergie car c'était ma passion. Même si nous progressions, nous n'arrivions pas à atteindre le seuil de rentabilité. Mon associé était parti depuis un an et avait accepté un emploi ailleurs. À l'automne 1996, j'ai aussi accepté un poste dans une autre société. Pour me remplacer, nous avions embauché un directeur général. Mais, au printemps suivant, nous avons dû nous rendre à l'évidence qu'il nous faudrait investir encore beaucoup d'argent si nous souhaitions continuer. D'un commun accord, nous nous sommes donc résignés à liquider l'entreprise. C'est dommage car le seuil de rentabilité était à portée de la main. L'emploi que j'occupais était dans le secteur public, un boulot pépère de 9 à 5, ce à quoi je n'étais pas habitué. J'ai pourtant vite pris goût au temps libre qu'il me procurait, surtout que le casino s'offrait à moi pour meubler ce temps libre. Une invitation que je n'ai évidemment pas refusée…

Très rapidement, je suis devenu un assidu du casino. Le jeu commençait vraiment à refermer son étau sur moi. Je refusais évidemment de m'en rendre compte, trop absorbé à dilapider le reste de mes économies aux tables du casino. L'été du déluge au Saguenay, je n'ai rien vu de cette catastrophe parce que je passais toutes mes soirées et mes week-ends au casino. Je vivais sur une autre planète. On aurait pu nous déclarer la guerre, j'aurais été le dernier à l'apprendre et ça m'aurait laissé complètement indifférent. C'est à une table de black-jack que j'ai appris les grandes disparitions de 1997 : décès de Lady Di, de Marie-Soleil Tougas et de Jean-Claude Lauzon. Pendant le verglas en janvier 1998, j'étais au casino tous les soirs et j'y suis resté jusqu'au jour où la direction a décidé de le fermer à la suite des pressions de la population et des médias. Les joueurs compulsifs sont insatiables, la direction du casino aussi.

À deux reprises entre 1996 et 1999, je me suis fait exclure du casino, chaque fois pour une période de trois mois. Habituellement, je m'infligeais cette punition après une séquence de jeu de 20 ou 24 heures. Épuisé, fatigué, écœuré de moi-même, les poches vides et ayant des dettes accumulées, je demandais à un agent de sécurité de me conduire aux bureaux administratifs pour me faire exclure. Curieusement, je sortais du casino soulagé, fier de moi. Je profitais de cette pause – un peu comme un pays profite d'un armistice – pour renflouer mes cartes de crédit, décorer mon appartement, me consacrer entièrement à mon travail, investir dans une nouvelle relation. Mais dès que les trois mois se terminaient, je retournais au casino en courant : la guerre n'était pas terminée. Je n'avais pas encore compris.

Au printemps 1998, j'ai obtenu un mandat d'un an dans une boîte de communications. Un contrat emballant qui consistait à diriger un magazine mensuel bilingue. J'ai donc cessé mes visites au casino pour me consacrer corps et âme à ce défi. J'avais réussi à réorienter ma compulsion vers le travail, avec d'excellents résultats d'ailleurs. Une personne compulsive peut l'être avec autre chose que le jeu. Pour certains, c'est le travail (*workaholic*), alors que pour d'autres c'est la sexualité, la propreté, la perfection, la nourriture ou encore la dernière compulsion connue : la cyberdépendance.

N'allant plus au casino, j'avais le temps de faire autre chose, dont m'occuper de ma santé. J'avais régulièrement des problèmes de digestion, et peu de temps après m'être couché le soir, il m'arrivait souvent de me réveiller en sursaut et d'aller vomir. J'ai donc décidé de consulter un médecin qui m'a recommandé de subir un examen du système digestif. Non satisfait des résultats du test, il m'a envoyé à l'Hôtel-Dieu pour une endoscopie. On m'a fait passer une série de tests, d'une salle d'examen à l'autre. Le personnel semblait considérer qu'il y avait urgence dans mon cas, ce que le gastro-entérologue me disait ne pas comprendre. Après l'examen, il m'annonça que ce qu'il avait vu n'était pas très beau, mais que ce n'était pas un cancer. Il était même prêt à gager sa chemise là-dessus!

Je me souviendrai toujours de ce vendredi 31 juillet 1998. Le téléphone a sonné à mon bureau. Comme il sonnait très souvent, j'ai pris l'appel machinalement: c'était le médecin de l'Hôtel-Dieu qui m'avait fait passer une endoscopie. Il me téléphonait pour me dire que j'avais un cancer à l'œsophage. Sa chemise, il l'avait perdue! Le ciel venait de me tomber sur la tête. J'étais assommé, *knock-out.* J'ai cru que ma vie était terminée, que j'allais mourir. J'ai pleuré. Il m'a dit avant de raccrocher que l'on m'attendait à l'hôpital le lundi matin pour rencontrer le chirurgien qui m'opérerait et aussi pour débuter une série de tests. Mon adjointe, voyant mon état, a compris que je venais d'apprendre une bien mauvaise nouvelle. Elle a tout fait pour me consoler, mais il n'y avait rien à faire. Une fois le premier choc passé, encore atterré, j'ai pensé à mon fils, mon grand de 16 ans à qui je devais annoncer la nouvelle. C'était comme si on m'avait annoncé une deuxième fois que j'avais le cancer.

J'étais seul – sans compagne –, car nous venions de rompre. Je n'avais donc aucune envie de rentrer chez moi et de me retrouver seul dans mon appartement. J'avais besoin de temps avant d'annoncer la nouvelle à mon fils. J'avais besoin de me ressaisir, de digérer tout cela. J'aurais été incapable de lui dire la vérité sans m'effondrer et je voulais qu'il me voie confiant de vaincre le cancer. Pour le moment, l'important était de faire le vide dans ma tête, d'oublier ce que je venais d'apprendre pour quelques heures. Je ne suis pas du genre à noyer ma peine dans l'alcool, car j'avais une autre méthode pour cela, pas meilleure cependant...

À 16 h, je quittais le bureau pour me diriger vers le casino, où je n'avais pas mis les pieds depuis longtemps, espérant y oublier pendant quelques heures le terrible verdict. La magie du casino a réussi à me faire oublier même la mort. Mais il fallait que je replonge dans la réalité, que je sorte du casino, même s'il est ouvert 24 heures par jour. Je suis donc parti vers 7 h, ne ressentant aucune fatigue malgré ma nuit blanche. J'avais perdu quelque 1 000 $, mais je m'en foutais. Le coup est venu dès que j'ai quitté le stationnement intérieur : la réalité m'a rattrapé. Je me suis mis à pleurer à chaudes larmes et à crier à tue-tête dans ma voiture : « Pourquoi moi ? Pourquoi moi ? » Il faisait pourtant tellement beau ce samedi matin-là.

Je me suis rendu à Boucherville pour voir mon fils. Je voulais d'abord l'annoncer à sa mère, lui demander conseil – nous étions séparés depuis six ans, mais nos relations étaient demeurées très cordiales. Comment peut-on annoncer à son fils qu'on a un cancer ? Mon ex était partie chez le coiffeur, alors je n'ai rien dit à Nicholas et je suis parti me promener sur le bord du fleuve. Dès qu'elle est rentrée, Nicholas lui a dit que je voulais la voir. Il avait compris en me voyant qu'il se passait quelque chose de grave ; mon fils me surprendra toujours. Lorsque je lui ai annoncé la terrible nouvelle, il a été atterré, il a pleuré, mais sa mère, lui et moi, on a formé un trio, bras dessus, bras dessous, et nous nous sommes dit que nous allions vaincre mon cancer. Il n'était peut-être pas trop tard après tout. Je les ai quittés en leur promettant de me battre et je me suis consolé en me disant qu'il était préférable que le cancer s'attaque à moi plutôt qu'à Nicholas étant donné que j'avais déjà vécu passablement. Alors que lui…

Le lundi matin à 10 heures: rencontre avec le chirurgien, le Dr Duranceau, un homme très correct qui prend le temps de répondre à toutes mes questions. Il m'explique mon cancer et me fait part des résultats d'un nouveau protocole américain de traitement qui suggère la chimiothérapie et la radiothérapie avant l'opération, plutôt que l'inverse, comme c'est le cas normalement. Cette approche donne des résultats encourageants, me dit-il. Avant tout cependant, je dois subir une batterie de tests, entre autres pour savoir si mon cœur est capable de supporter l'opération. Et comme il y a urgence, les tests et les examens vont commencer dès le lendemain. J'ai ensuite rencontré l'oncologue qui m'a annoncé sans ménagement que le cancer de l'œsophage est l'un des pires, l'un des plus vicieux. « Si le cancer s'est propagé au-delà de l'œsophage, oubliez l'opération, cela ne servirait à rien de vous charcuter. Le *scan* nous donnera la réponse dans une semaine. »

Le vendredi suivant, heureusement, je rencontre une autre oncologue. Elle me reçoit dans un petit bureau. Les résultats de mon *scan* sont affichés au mur. Je n'ose regarder vers le mur, même si je n'y connais absolument rien. Elle me précise que compte tenu de mon gabarit – je mesure 6 pieds 1 pouce et pesais à l'époque 225 livres –, je devais aller à l'hôpital Notre-Dame pour les traitements de radiothérapie, l'Hôtel-Dieu ne possédant pas l'équipement nécessaire. Je lui demande timidement: « Donc, j'aurai des traitements ? Le cancer n'a pas débordé ? » Elle me rassure aussitôt : non, le cancer n'a pas traversé l'œsophage. J'ai pleuré de joie. De retour au bureau, j'annonce la bonne nouvelle à mon adjointe et décide d'aller fêter ça au casino sur l'heure du lunch. Je m'assois à une table de poker des Caraïbes et gagne rapidement un lot de 14 000 $. Décidément, c'est une belle journée. J'ai deux bonnes nouvelles à annoncer à ma famille.

Arrive le jour J. Mon ex-épouse est venue me chercher pour me conduire à l'hôpital. Avant de quitter mon appartement, j'ai fait le tour des pièces, regardant mes souvenirs accumulés au fil des ans. Je ne savais pas si j'y reviendrais, si je m'en sortirais. Ce soir-là, soit la veille de mon opération, mon fils est venu me voir. Après sa visite, deux des chirurgiens qui devaient m'opérer le lendemain m'ont expliqué en quoi consistait l'opération. On m'ouvrirait à trois endroits – de larges incisions – et l'opération allait durer environ huit heures... J'ai paniqué et leur ai demandé s'il n'était pas préférable de tout annuler, d'autant plus que le dernier examen endoscopique avait indiqué que la tumeur s'était résorbée. On me répondit que si je renonçais, il me resterait peut-être 12 mois à vivre. Et si je me faisais opérer ? Tous les espoirs étaient permis.

Le lendemain soir – nous étions le 8 décembre 1998 –, je devais aller voir le spectacle de Céline Dion au Centre Molson. Pendant que Céline interprétait ses premières chansons, j'étais encore dans la salle d'opération. Trois chirurgiens m'ont opéré pendant 11 heures. À mon réveil, quelque 24 heures plus tard, mon fils était à mes côtés avec sa mère. J'ai essayé de lui faire le signe de la victoire avec ma main droite, signe que je m'étais promis de lui faire à mon réveil si tout se passait bien. Malheureusement j'arrivais à peine à remuer la main. Il n'a su que plus tard ce que je voulais lui signifier avec ma main. Le surlendemain, le Dr Duranceau, le chirurgien principal, est venu me voir avec un beau sourire... Nous avions gagné, le cancer était vaincu. Je n'oublierai jamais ce sourire, ni cette journée, la plus belle de ma vie.

Au cours de mon hospitalisation, j'ai souvenir d'une nuit blanche dans l'unité de soins intensifs. J'étais sous l'effet de la morphine et j'avais demandé qu'on réduise la dose car je commençais à voir des monstres dans les rideaux. Je me réveillais donc souvent à cause de la douleur. Éveillé, je rêvais d'aller m'établir dans les Laurentides sur le bord d'un lac. C'était le rêve que j'avais toujours caressé. Un rêve un peu fou pour un travailleur autonome qui n'avait plus d'économies. L'entreprise que j'avais lancée avec un ami avait pris les trois quarts de mes économies, et le jeu avait englouti le reste. Mais je rêvais quand même. Je venais de passer à deux doigts de la mort et la vie n'avait plus la même signification. Je ne voulais plus travailler 12 heures par jour ni aller passer des nuits blanches au casino. Je voulais profiter de la vie, de chaque seconde supplémentaire qu'on m'avait accordée. J'étais en période de prolongation.

Mais mon hospitalisation et la longue convalescence qui suivit n'étaient qu'un intermède dans ma descente aux enfers du jeu. Je n'avais vaincu qu'un cancer. Il en restait un autre.

7
Le gros lot !

C'est à la fin de décembre, quelques jours avant Noël, que j'ai obtenu mon congé de l'hôpital. Tel qu'il avait été prévu, je suis allé vivre chez l'une de mes sœurs pour quelques semaines. Encore très faible, j'ai passé la période des fêtes alité, mais au moins j'étais dans ma famille. Le médecin avait recommandé une période de convalescence de trois mois, et j'en avais grand besoin, ayant perdu quelque 60 livres et surtout toutes mes forces.

À la fin de mars, je suis allé passer une semaine de vacances en Floride avec une amie. En fait, c'était plus une convalescence que des vacances, car je ne quittais jamais le bord de la piscine. Mais c'est toujours plus agréable de se reposer au soleil que dans la neige, n'est-ce pas ? Après quoi je suis retourné dans la boîte de communications y terminer mon contrat. Celui qui m'avait remplacé durant mon absence avait négocié un contrat d'un an et pris goût à la *job*. Mon retour n'était donc pas particulièrement bienvenu. Il me restait officiellement moins d'un mois pour terminer mon contrat, mais le patron m'offrit de rester à titre d'assistant de mon successeur. C'était un peu dur pour l'ego mais, compte tenu de ma santé encore précaire, j'ai accepté de bonne grâce, mon salaire demeurant inchangé. J'aurais toujours le temps de voir venir, ce qui importait pour le moment était de reprendre des forces et d'assurer des rentrées d'argent. Les relations entre moi et mon successeur étaient de plus en plus tendues. Je n'intervenais plus dans le choix éditorial et j'avais l'impression de devenir « tabletté ». Au début cela ne me dérangeait pas, ma santé étant prioritaire, mais plus je reprenais des forces, plus je commençais à m'ennuyer et à sentir la frustration monter en moi.

Un certain vendredi, en quittant le bureau, encore un peu plus désabusé de mon emploi, j'ai décidé d'arrêter au casino avant de rentrer chez moi à Boucherville. Nous étions à la fin d'avril 1999. J'arrive vers 17 h 30 et me dirige vers les tables de poker des Caraïbes. Comme il s'agit d'un jeu très populaire, il est très rare d'y trouver une place libre. Mais dès mon arrivée près de la section, j'aperçois un siège libre, le seul d'ailleurs, en position sept, soit la dernière, ma préférée. C'est d'ailleurs à la septième place que j'avais gagné un lot de 14 000 $ l'été précédent. Dès que je m'assois, rapidement je gagne. La chance est avec moi et en moins d'une heure je gagne plus de 800 $. Tout me sourit. Peu après, les cartes se calment. Je regarde l'heure, il est près de 19 h ; je commence à avoir faim, mais je décide dans un premier temps de prendre un jus de tomate, car c'est un bon apéritif. La serveuse n'en a plus mais elle ira m'en chercher un, me dit-elle. Je décide de l'attendre. Il me reste deux jetons de 1 $, jetons servant à participer au gros lot. Je place l'avant-dernier jeton dans l'ouverture prévue à cet effet sur la table et le croupier distribue les cartes. Mon voisin de droite a la manie de regarder mon jeu avant moi et cela m'exaspère. Même si cela ne change rien au résultat, j'aime bien voir mon jeu le premier, ce qui est normal. Je regarde très vite mes cinq cartes et je vois que j'ai la couleur, soit cinq carreaux ce qui me donnera un lot de 50 $; je les couche rapidement et avance ma mise. Je me dis que mon voisin verra mon jeu à la fin comme les autres joueurs, mais il a été plus rapide que moi. Il me dit :

— Vous l'avez.

Je lui réponds :

— Je sais que je l'ai ! J'ai la couleur.

— Non, non. Vous avez la quinte royale.

Je ne le crois pas, surtout qu'il me dit cela tout naturellement, sans aucune excitation. Je regarde mes cartes. En effet, j'ai le 10 de carreau en montant et je viens de gagner le gros lot de 207 000 $. Je deviens blême, je me lève, je me rassois. Très vite la nouvelle se répand, rapidement une foule entoure ma table. Je suis le héros du jour du Casino, j'ai mes 15 minutes de gloire. Je n'y crois toujours pas. Mon rêve fou que j'avais fait à l'hôpital se réalisera ! La foule se fait de plus en plus dense, les gens me regardent, certains avec le sourire, d'autres avec envie. Je les comprends. Les agents de sécurité m'entourent, on vérifie les cartes, on vérifiera aussi avec la bande vidéo pour s'assurer que tout est propre, que personne n'a triché. Cela prendra environ une demi-heure. Je m'en fous. Je dis à une agente de sécurité que je me ferai exclure du casino. Elle me répond :

— C'est votre droit. On peut vous arranger ça.

Mais pour moi c'était une blague. Je ne pense à rien, je suis figé, blême. Un joueur a peur que je m'évanouisse, il demande que l'on m'apporte un verre d'eau. Je demande s'il y a quelqu'un qui a un téléphone cellulaire. On m'en présente trois. J'appelle ma mère, qui la veille était au casino et avait dit au croupier :

— Mais personne ne gagnera jamais ce gros lot !

Aussi, dès que je lui dis que je suis au casino et que j'ai la quinte royale, elle comprend immédiatement que je viens de gagner plus de 200 000 $. Je lui demande d'annoncer la bonne nouvelle à mes sœurs. Elles viendront me rejoindre dans une heure au salon VIP où nous serons reçus au champagne. Mais je réalise qu'à part ma famille, je n'ai personne avec qui partager cette joie, comme je n'avais personne pour partager ma peine lorsque j'ai appris que j'avais un cancer. J'appelle quelques amis, ainsi que mon ex-femme ; je lui dis que j'annoncerai moi-même la nouvelle à notre fils le lendemain car, après tout, je lui ai déjà annoncé une mauvaise nouvelle il n'y a pas si longtemps et il a bien le droit à une bonne nouvelle. J'appelle Linda, ma compagne de mes débuts au casino. Elle ne me croit pas. Je demande à un agent de sécurité de lui confirmer la bonne nouvelle et je lui passe l'appareil. Elle est contente pour moi.

Après la confirmation que j'ai bien la quinte royale, on me remet des plaquettes, 8 plaquettes de 25 000 $ chacune et une plaquette de 5 000 $, le reste en jetons. Le service de sécurité m'escorte jusqu'à la caisse où on me remet un chèque de 200 000 $, et le reste je le distribue à mes sœurs, ma mère et aux autres joueurs de la table, car après tout les six autres joueurs ont contribué directement à ma main en remettant leurs cartes dans un certain ordre lors d'un jeu précédent. Je ne donne rien au croupier, pas par mesquinerie, mais parce que je sais qu'environ 50 % irait au gouvernement en impôts et que les pourboires sont mis en commun et distribués à parts égales entre tous les croupiers. Comme il y en a qui sont déplaisants avec la clientèle, je ne veux pas les récompenser. S'il avait été possible de donner un pourboire directement à mon croupier, je l'aurais fait. Après le champagne et les félicitations des membres de ma famille, on se disperse. Je reste encore quelques heures à jouer au casino, sans beaucoup d'intérêt. On me reconnaît, on me félicite. Je rentre chez moi heureux et un peu mélancolique car personne ne m'attend à la maison pour fêter ça.

Je suis de retour au casino dès le lendemain soir. C'est ça, la solitude. Certains clients sont surpris de me voir. « Que faites-vous là ? Allez investir votre argent. » Même un chef de section me prend à part et me recommande de me tenir loin du casino pour quelque temps. Je n'écoute personne. Le lundi matin je dépose 195 000 $ à la banque pour une période d'un mois, le temps de réfléchir à tout ce qui m'arrive. Je conserve 5 000 $ pour le jeu. C'est lorsque j'ouvre mon livret de banque et que je constate que j'ai 5 000 $ dans mon compte courant que je réalise vraiment ce qui m'arrive. Je suis riche.

Je ne dis rien à mes collègues de travail. Mes relations avec mon remplaçant s'enveniment depuis quelque temps et je sais que je devrai quitter l'entreprise bientôt. Quelques semaines plus tard, je lui dis ce que je pense du nouveau *look* bas de gamme, et de l'allure du magazine qui fera fuir les annonceurs de prestige ; il ne le prend pas, et m'annonce qu'il ne peut plus travailler avec moi et que mon contrat est terminé. Il ne sait pas que cela fait bien mon affaire. De toute façon, je crois que mon employeur, qui a été très correct et très généreux avec moi durant ma maladie, continuant de me verser mon plein salaire durant mes quatre mois d'absence, ce qu'il n'était pas obligé de faire, ne désirait pas renouveler mon contrat à long terme. Je le comprends et ne lui garde pas rancune. J'apprendrai plus tard à diverses occasions que lorsque vous avez eu un cancer, même si vous l'avez vaincu, vous êtes marqué. Vous êtes une personne à risque et personne ne veut prendre de chance avec une personne à risque. C'est une forme de discrimination, mais très difficile à identifier, hypocrite comme le cancer.

Nous sommes en mai et je ne suis pas pressé de trouver un autre contrat. Faut dire que mon état physique n'est pas encore parfait. Je suis faible et dois me reposer même à l'heure du midi. J'ai déjà pris deux décisions pour l'utilisation de l'argent gagné. D'abord l'achat d'une maison dans les Laurentides sur le bord d'un lac. Mon rêve impossible aux soins intensifs quelques mois plus tôt deviendra réalité. Et un voyage avec mon fils, qui a le choix de notre destination vacances : il choisit la France et Londres. Pas de problème, nous partirons trois semaines en juillet. Pour être en forme pour ces vacances en Europe, où nous marcherons beaucoup, je pars me reposer seul une semaine à Cuba.

Avant les vacances, j'avais commencé à entamer mon gain au casino. Même la veille de notre départ, j'y ai passé la nuit entière. Heureusement, le vol dure six heures et je peux dormir dans l'avion. Premier arrêt, Paris, que je fais découvrir à Nicholas ; nous y passons quatre jours. Ensuite, c'est un séjour d'une semaine à Nice : je vais deux fois, tard en soirée, au casino de Nice et une fois à celui de Monaco, LE casino en Europe, laissant mon grand de 16 ans devant la télé. Cela fait son affaire, car il découvre Canal +. Mais les casinos européens ne m'impressionnent pas, encore moins les joueurs de black-jack qui jouent de façon très défensive, arrêtant à 15 sur une figure. À Montréal, ils se feraient engueuler, mais ici c'est moi que l'on fusille du regard car je ne joue pas comme eux. La seule ressemblance avec le Casino de Montréal, c'est que tout le monde perd. Durant mes vacances, je laisse quelque 3 000 $ sur les tables de jeu européennes, et ce en 3 séances. Heureusement, la présence de mon fils m'empêche d'y aller plus souvent. À Paris et à Londres, je passe outre à la visite des casinos. *Idem* à Aix-en-Provence où il y a un casino municipal. Je veux que mon fils apprécie ses vacances et ne conserver d'Aix-en-Provence, dont je suis tombé amoureux, que de beaux souvenirs.

À notre retour, je me mets à la recherche d'une maison dans les Laurentides. C'est très agréable de chercher une maison lorsqu'on sait qu'on la paiera comptant. Grâce à une amie agente immobilière, je trouve rapidement celle qui me convient. Elle est située au bord d'un lac, pas trop loin de Montréal. En m'éloignant du casino, je pense que je vais y espacer mes visites. Foutaise.

Ayant décidé de prendre congé le reste de l'été et tout l'automne avant de chercher activement un nouveau travail, j'ai beaucoup de temps libre, que je passe au casino. Comme je mise des montants élevés, j'ai droit au traitement VIP : repas et boissons gratuits, spectacles, salon VIP, bref, un traitement haut de gamme. Je gagne parfois, mais je perds plus souvent. Et comme je n'ai jamais aimé perdre, il m'arrive de rester là 30 heures d'affilées. À la fin je suis tellement fatigué que j'ai de la difficulté à reconnaître les cartes. Lorsque je m'en vais, j'ai parfois récupéré mes pertes, mais à quel prix ! D'autres fois, rien à faire, je quitte le casino moins riche de

2 000 $ou 3 000 $. Je vis une période euphorique, mais tragiquement seul. Encore là, la magie du casino vous fait oublier votre solitude. Il y a de plus en plus de célibataires dans notre société, c'est l'une des raisons qui expliquent le succès des casinos. Au casino, on se sent bien même si l'on est seul.

La classe des *baby boomers*, soit la tranche d'âge la plus nombreuse, est la clientèle idéale pour les casinos : des gens qui ont un emploi, des économies. Selon un économiste, les *baby boomers* québécois ont plus de 356 milliards de dollars en placement de toutes sortes. Ces *baby boomers* prendront leur retraite d'ici quelques années, et ils auront encore plus de temps libre. Plusieurs sont divorcés, seuls, et s'ennuient. Les casinos n'ont pas à s'inquiéter, leur avenir s'annonce doré.

8
La fin des illusions

L'automne 1999, c'est au casino que je l'ai passé, y prenant parfois mes trois repas quotidiens au salon VIP. Je jouais gros, alors j'accumulais beaucoup de points, version moderne des timbres-primes. Avec ces points, je me procurais t-shirts, polos, jackets, draps, couette, sets de vaisselle, oursons, robot culinaire, montres, etc. Bref, tout ce que la boutique du casino avait en montre, j'en avais un ou plusieurs exemplaires chez moi. Mais à quel prix!

Mon compte de banque se vidait rapidement et vint un jour où le guichet automatique refusa d'acquiescer à ma demande de retrait, mon compte étant à sec. Nous étions au début de l'an 2000, et en moins d'un an j'avais perdu plus de 60 000 $ au casino. Devant la précarité de ma situation financière et ne voyant aucune possibilité de contrat ou d'emploi à court terme, je dus me résoudre à hypothéquer une première fois ma maison en février 2000 : un montant de 20 000 $ pour payer des factures criantes, remettre mes cartes de crédit à zéro et pour continuer à jouer. Puisque je jouais moins souvent et aussi de moins gros montants, on me retira le privilège de l'accès au salon VIP. Le *party* tirait à sa fin.

Au début du mois de mai, on m'offre un mandat intéressant : procéder à la fermeture d'une usine qui employait des handicapés et suggérer un autre secteur d'activité pour relocaliser le personnel. Ce qui était intéressant n'était pas de fermer l'usine, mais bien de trouver un autre secteur d'activité pour le personnel handicapé qui ne devait absolument pas souffrir des déboires de l'entreprise. Je prends mon mandat à cœur, y plonge passionnément, délaissant le casino, d'autant plus que c'est mon premier été à ma maison. J'y fais un aménagement paysager, et je consacre mon temps au travail et au jardinage. Je débute également une nouvelle relation amoureuse. Le casino vient loin derrière. La fermeture de l'usine se fait sans problème : le personnel non handicapé est replacé dans d'autres usines similaires et, en attendant que je trouve une nouvelle mission pour l'entreprise, je réussis à placer le personnel handicapé dans d'autres entreprises. De plus, tout l'inventaire de l'usine trouve preneurs. Résultat : contre toute attente, nous dégageons un excellent profit.

Ma relation amoureuse s'annonce bien, mais Danielle demeure à 500 km de chez moi, au Saguenay. Nous nous sommes rencontrés d'abord par Internet, ensuite à Québec et finalement elle est venue passer une semaine chez moi. Tout se déroule très bien et cela aide à me tenir éloigné du casino. Mais Danielle retourne chez elle et m'annonce après quelques semaines qu'elle n'est pas prête à tout laisser pour venir vivre dans la région de Montréal. De plus, elle n'aime pas mon passé de joueur. On se quitte quand même en amis.

C'est vers la fin du mois de juillet que je recommence mes visites au casino. L'usine est maintenant fermée et le personnel restant est en vacances. Je suis de nouveau seul. Les employés du casino, croupiers et chefs de section, sont contents de me revoir. Ils sont sincères. Je suis un client qui a toujours été très correct avec eux, car j'ai appris il y a longtemps que le messager n'y est pour rien quand ça va mal. Je me sens bien au casino. J'y suis chez moi, en famille. Pour les habitués, le casino, c'est un microcosme, une société fermée avec ses propres normes ; les règles, c'est de ne pas en avoir ! Personne ne nous juge car nous sommes tous pareils, avec les mêmes faiblesses, les mêmes comportements. À l'extérieur, je serais considéré comme déviant, mais ici je suis avec mes pairs qui, au lieu de me juger, approuvent au contraire mon comportement, identique au leur. Cela les déculpabilise sans doute.

Au début, je joue raisonnablement, perdant ou gagnant peu, rentrant chez moi à une heure raisonnable, tardive mais raisonnable. Mais rapidement, je prolonge mes heures au casino, j'augmente mes mises. La chance me sourit quelques fois, mais durant ces périodes de chance, je n'ose augmenter le montant de mes mises.

À l'automne, je suis vraiment repris dans la spirale du jeu. Je suis au casino 50 à 60 heures par semaine, des fois plus. Les week-ends, j'y passe des nuits entières. La journée du samedi, je ne la vois pas : j'arrive au casino le vendredi vers 18 h et j'en ressors le samedi après-midi vers 16 h. Je rentre chez moi, je me mets au lit, pour me réveiller le dimanche midi. Il m'arrive en milieu de semaine d'y passer également toute la nuit ; je me présente alors au bureau vers 7 h ou 10 h du matin. Après trois cafés, je suis un peu opérationnel, je fais ma journée ; pas trop productive toutefois, cette journée. Mon travail en souffre de plus en plus. Le jeudi soir, je suis immanquablement au casino, parce que c'est jour de paie. Souvent ma paie entière y passe, mais parfois je gagne le double de ma paie, parfois plus. Il m'arrive alors de quitter le casino plus riche de 1 000 $ ou 3 000 $, mais j'y retourne le lendemain soir, et j'y retournerai tous les autres jours, aussi longtemps que je n'aurai pas tout perdu. C'est ça, un joueur compulsif : l'argent n'est pas vraiment ce qui nous motive à jouer.

Un certain mercredi après-midi, je demande à la comptable de l'entreprise de me faire un chèque de 500 $. Cet argent doit servir à payer le souper des membres du conseil d'administration après notre réunion mensuelle et je ne peux me servir de mes cartes de crédit, qui sont à leur limite. Après le souper, le président décide de prendre l'addition, me disant qu'il me l'enverra plus tard avec d'autres reçus à rembourser. Vers 22 h, en quittant le restaurant, comme nous sommes au centre-ville, je décide d'aller faire un tour au casino avant de rentrer chez moi. Très vite, je perds les quelque 200 $ que j'avais. Je décide alors d'emprunter les 500 $ qui étaient destinés à payer le repas. Demain, jeudi, c'est la paie ; alors si je le perds, je les rembourserai en prélevant cet argent sur mon salaire. Je perds également les 500 $. Décidément, ce n'est pas mon soir. Le lendemain, au lieu de rembourser les 500 $, je décide de retourner le soir même au casino pour récupérer cet argent, me refaire. Après tout, on ne peut pas être malchanceux tout le temps ! L'impensable pour moi se produit : je perds toute ma paie. C'est le début d'une série d'emprunts à l'entreprise, emprunts qui totaliseront près de 15 000 $ à la fin de décembre 2000. Après les vacances de fin d'année, je décide d'hypothéquer de nouveau ma maison pour rembourser mon emprunt à la compagnie et également remettre mes cartes de crédit à zéro.

Mais je n'ai pas encore compris : je retourne au casino ! J'ai quelque 12 000 $ dans mes marges de crédit. Je me défonce sur les tables de jeu, allant au bout de mes ressources physiques et financières. C'est vraiment de l'autodestruction. En quelques semaines, mes cartes de crédit sont rapidement remontées à leur limite permise. Rien ne va plus. Je décide que c'est terminé pour moi car rien ne va plus dans ma vie. Il faut que je prenne un virage à 180 degrés avant qu'il ne soit vraiment trop tard. Je me fais interdire l'accès au casino pour six mois.

Trois semaines après mon exclusion, je décide de franchir la deuxième étape de ma réhabilitation en avouant ma faute à mes collègues ; rien ne m'y oblige pourtant, mais sans doute que mon éducation catholique m'incite à me confesser. Cela me libérera.

Ce soir-là, le lundi 19 mars 2001, le conseil d'administration est rassemblé pour la réunion mensuelle ; toute la fin de semaine je me suis préparé pour chacun des dossiers. Tout va bien, d'une perte de près d'un million de dollars l'année précédente, nous nous dirigeons vers un profit de plus de 100 000 $, excluant les revenus de la vente de l'immeuble. Notre premier profit depuis cinq ans, et ce profit, j'en suis le grand responsable. De plus, notre subvention pour la prochaine année, que j'ai préparée seul, a été approuvée telle quelle. Enfin, j'ai appris le matin même que le ministère de l'Éducation avait accepté ma demande de subvention spéciale de 60 000 $ pour former le personnel handicapé à l'horticulture. À la suite de ma recommandation, c'est en effet dans le secteur horticole que l'entreprise s'était orientée. Tout va bien. Il est temps que j'avoue ma faute.

Cela fait déjà près de trois mois que j'ai remboursé l'argent à l'entreprise, sauf un montant à la petite caisse, mais j'ai pris des arrangements pour le faire. En plus de mon exclusion du casino, je suis en thérapie. C'est en présentant les états financiers que j'informe mes collègues de mes emprunts à l'entreprise entre les mois de septembre et décembre derniers. J'ajoute aussitôt que j'ai remboursé la plus grande partie de cette somme. Leur avouer cette faute grave m'a soulagé, même si j'en prévoyais les conséquences, car je ne pouvais plus continuer ainsi. À chaque conseil d'administration, j'avais honte de moi ; il fallait que je leur dise, surtout que c'étaient des amis que j'avais autour de la table.

Mais, contrairement à ce que je croyais, je n'avais pas que des amis au conseil d'administration. Cela a été un choc pour eux, ils ne l'ont pas accepté. Le secrétaire et le président du conseil étaient assis en face de moi, deux visages hostiles. Je leur ai dit toute la vérité, leur ai avoué que j'avais des problèmes avec le jeu mais que je me suis pris en main pour m'en sortir. Rien à faire, on me demande de me retirer de la salle. Après 30 minutes d'attente interminable où j'ai fait les cent pas dans le corridor, en prenant conscience que ma vie prendrait ce soir un nouveau tournant, on vient me chercher pour m'annoncer que je suis suspendu sans salaire pour une période de deux semaines, le temps de faire vérifier tous les livres par une firme comptable. Je leur dis qu'il n'y a rien à vérifier mais que je les comprends. Cependant, je trouve la sentence dure. On me déclare coupable avant les faits. J'aurais accepté une suspension avec salaire. Je m'en vais chez moi sonné mais en même temps libéré. Ce n'est que dans les jours qui suivent que je m'effondrerai, complètement démoli.

Les jours suivant cette réunion, je vis l'enfer; moi qui ai le sommeil facile, je n'arrive plus à dormir. Je ne mange plus, je pleure, je crois que je vais perdre ma maison. Heureusement que des amis me soutiennent. Je raconte tout à mon médecin qui, vu mon état, me prescrit des antidépressifs et un congé de maladie de deux mois. Comme j'ai toujours mon emploi, j'espère obtenir ce congé sans complication.

Sur les conseils d'un ami, j'écris une longue lettre au président du conseil d'administration. Après tout, l'entreprise qui m'emploie aide les handicapés en leur donnant du travail, et je crois que les membres du conseil d'administration devraient être plus sensibles que d'autres à ma maladie. Dans ma lettre je rappelle mes réalisations depuis bientôt un an et, pour la première fois, je me confie à un étranger, racontant ma maladie, mon vice, ma passion, appelez cela comme vous voulez. Ma lettre semble l'atteindre. Il m'avoue qu'il n'a jamais connu de cas de joueurs compulsifs parmi son personnel et qu'il ne sait trop comment « dealer » avec ça.

Après 10 jours d'attente, le président m'appelle chez moi et me demande de me présenter à son bureau le lendemain. La rencontre sera courte, froide. Il me dit que les membres du conseil d'administration se sont réunis l'avant-veille et il m'informe de leur décision. Ils paieront mes deux semaines de suspension et, même s'ils auraient pu devancer mon congédiement de quelques jours pour faire en sorte que je n'aie pas droit au congé de maladie, les membres du conseil ont décidé de ne pas y faire obstacle. Je lui réponds poliment que ce n'est pas à eux à accepter ou à refuser mon congé de maladie, qu'ils n'ont rien à y décider. Je trouve cela mesquin de leur part. Il me dit que c'est tout ce que je peux espérer d'eux. Il me demande de démissionner comme administrateur et comme directeur général immédiatement. Va pour démissionner comme administrateur, mais je lui réponds que je ne quitterai pas mes fonctions de directeur général avant la fin de mon congé de maladie. Il l'accepte. Je le quitte un peu déçu : j'ai joué franc-jeu avec eux et ils me traitent comme un voleur. Je comprends que le lien de confiance est rompu mais j'aurais espéré un peu plus de compassion de leur part.

Je décide de laisser passer quelques semaines, le temps que la poussière retombe, pour demander une autre rencontre avec le président du conseil. Entre-temps, mon médecin prolonge mon congé de maladie de deux autres mois et je continue ma thérapie qui me fait beaucoup de bien, tout comme l'écriture.

Au cours du mois de juillet, j'appelle le président pour lui demander un rendez-vous. Il semble étonné de mon appel et me demande la raison de cette rencontre. Je lui réponds qu'il faudrait peut-être discuter de mon dossier avant la fin de mon congé de maladie. La rencontre a lieu la semaine suivante à ses bureaux. Au début, l'entretien est cordial, sans hostilité de sa part. J'ai choisi l'approche sympathique : je lui parle de mon cheminement depuis la fin de mars, de ma thérapie qui progresse très bien. Je lui mentionne aussi l'exorcisme par l'écriture qui m'a beaucoup aidé. Je lui cite quelques statistiques sur les torts causés par le jeu au Québec. Enfin, je lui demande ce qui m'attend après mon congé de maladie. Pourrai-je reprendre mon poste de directeur général ? Comme je m'y attendais, il me répond que le poste est comblé et qu'il n'y a rien pour moi. Je comprends qu'il serait difficile en effet de réintégrer mes fonctions, aussi je suggère que l'on en vienne à une entente de séparation s'ils n'ont rien d'autre à m'offrir. Il reçoit froidement ma demande et ne pense pas que le conseil acceptera de me verser quelque compensation que ce soit. Je lui rappelle que le jeu compulsif est reconnu comme une maladie et qu'il y a au moins trois cas qui plaident en faveur de l'employé. Cela ne semble pas l'ébranler. Alors je l'avise qu'ils devront me congédier, car je n'accepterai pas de démissionner sans avoir une compensation monétaire qui me permettra de me trouver un autre emploi, ce que je n'ai pu faire jusqu'à ce jour, étant trop mal en point psychologiquement. Enfin, je lui dis qu'avec le recul j'ai réalisé que le conseil d'administration avait été très dur avec moi, ne me donnant aucune chance ; n'eût été de mon congé de maladie, j'aurais tout perdu, y compris ma maison.

C'est le vice-président qui m'appellera plusieurs semaines plus tard, pour m'informer de la décision du conseil d'administration. On accepte de me verser une prime de séparation. L'offre est raisonnable. Je l'accepte.

Cela fait maintenant six mois que je n'ai pas mis les pieds au casino pour y jouer. J'y suis bien retourné en deux occasions, mais c'était pour y rencontrer un employé. Il n'y était pas. Durant ces deux visites, je n'ai pas ressenti le besoin de jouer. Faut dire que j'étais un peu nerveux, pas à cause de la présence des tables de black-jack, non, mais bien parce que j'étais encore sur la liste d'exclusion. J'avais peur de me faire reconnaître par un agent de sécurité et de me faire reconduire à la porte. Heureusement, ce ne fut pas le cas. Je me suis même approché des tables de jeu sans aucune émotion. J'étais indifférent. Cela ne veut pas dire que je suis complètement guéri. Ma cure de désintoxication n'est pas encore terminée, loin de là. On ne change pas des habitudes de vie, qui ont duré sept ans, en six mois!

Je compare ma situation à un retour d'un long séjour à l'étranger, mon exil ayant été le casino. J'en ai fait ma bulle pendant toutes ces années où le monde a continué à avancer. Un coopérant qui travaillait souvent à l'étranger m'a déjà dit que lorsque vous êtes plus de sept ans d'affilée à l'extérieur du pays, il était préférable de ne pas y revenir poursuivre sa carrière, car tout le réseau professionnel bâti au fil des ans n'existe plus. Il faut repartir à zéro. C'est comme ça que je me sens: un retour au point de départ. L'univers professionnel que je fréquentais m'est devenu étranger.

C'est sans doute pour cela que la tentation est grande de retourner au casino, d'y reprendre ma vie d'avant, pas nécessairement pour gagner. Ce n'est pas la raison première. Non plus de jouer, d'ailleurs. C'est autre chose. Évidemment, je n'irais pas au casino si je n'avais pas la possibilité de jouer, mais la motivation première serait de me retrouver dans mon élément, dans mon paradis artificiel, avec mes semblables. Cela me sécuriserait. Je n'aurais pas à combattre quoi que ce soit. J'y serais à l'aise. Avoir encore l'illusion que je pourrais me refaire me permettrait de croire que je réussirais à payer mes dettes avec mes gains, ce qui n'est plus le cas maintenant. Mes dettes sont toujours là, plus criantes que jamais, mais je sais qu'il n'y aura pas de miracles instantanés qui les feront disparaître. C'est cela qui est dur. Je me compare à un héroïnomane en cure de désintoxication. Il vit des moments très difficiles, son corps est assoiffé et demande sa dose. Pour le joueur compulsif en cure, ce n'est pas le corps qui est en manque, mais l'esprit: il veut encore croire à l'illusion, aux rêves en couleurs. Je voudrais m'évader. Faire face à la réalité fait mal. En regardant les factures à payer, les cartes de crédit à rembourser, mes impôts qui sont dus depuis trop longtemps, je panique. J'ai le vertige. Je sais qu'il n'y a plus d'échappatoire possible. Je sais que cet argent, je n'irai pas le chercher au casino, je devrai composer avec mes revenus qui sont bien en dessous de ce que je dois. Je devrai, pendant plusieurs années, ne plus faire aucune folie, ne serait-ce qu'un voyage à l'étranger. Non, je ne devrai conserver que le strict minimum pour subvenir à mes besoins et consacrer tout le reste au remboursement de mes dettes. C'est le prix que j'ai à payer. Je l'accepte, pas toujours avec sérénité, mais je l'accepte.

Parfois, je me suis demandé si j'avais choisi la bonne période pour me soustraire au jeu ; pas de compagne, c'est-à-dire beaucoup de temps libre. Mais y a-t-il une bonne période pour se sortir d'une dépendance ? Avoir eu une compagne, peut-être serais-je encore assis à une table de black-jack au casino à espérer frapper le grand coup… pour me refaire. Il faut frapper un mur pour prendre pleinement conscience de sa situation tragique. Sans doute ma faute professionnelle m'aura-t-elle été salutaire.

Deuxième partie

Introduction à la deuxième partie

Après le choc de la nouvelle, lorsque j'ai appris que j'avais un cancer, j'ai voulu en savoir plus sur cette terrible maladie. Je ne voulais pas faire l'autruche, je souhaitais savoir quelles étaient mes chances de guérison, où en était la recherche, ce que je pouvais faire pour contribuer à vaincre ce cancer qui grugeait ma vie de l'intérieur. Dans un premier temps, je fus agréablement surpris d'apprendre que le cancer était de moins en moins mortel. Ensuite, j'ai appris que lorsqu'il n'était pas trop tard, notre attitude face à la vie pouvait jouer un grand rôle dans la guérison. C'est donc confiant que je livrai et gagnai la plus importante bataille de ma vie.

C'est fort de cette expérience que je m'attaquai à mon problème de joueur compulsif. Je savais que je pouvais contrôler cette maladie; il ne dépendait que de moi de vaincre ce deuxième cancer. Pour ce faire, j'ai ausculté cette maladie: Pourquoi s'était-elle attaquée à moi? Y avait-il une relation de cause à effet avec mon passé? Quel était le comportement des joueurs compulsifs ? Pourquoi en étais-je un ? Qu'est ce qui faisait que je perdais la tête à l'intérieur d'un casino ? En me renseignant sur le jeu compulsif, j'ai réalisé que la meilleure façon de se libérer de sa dépendance, c'est la connaissance. Lorsque j'ai compris exactement ce qu'est un jeu de hasard, et les raisons profondes qui m'incitaient à jouer, j'ai su que la partie était gagnée pour moi. Je souhaite que cette deuxième partie démythifie pour vous les jeux de hasard et permette à ceux qui en sont dépendants de s'en libérer.

9
Le comportement des joueurs compulsifs

Qu'est-ce qui fait que certaines personnes deviennent totalement dépendantes du jeu ? Si le jeu comporte un risque et que nous sommes certains de perdre à plus ou moins long terme, alors pourquoi joue-t'on ? Je pourrais répliquer : Pourquoi le quart de la population canadienne fume, sachant que le tabac est nocif ? Ce serait pourtant une réponse trop simpliste. Beaucoup de raisons motivent les gens à jouer.

En fait, le jeu n'est pas toujours nocif. Bien utilisé, il est nécessaire à notre équilibre, selon les experts. Pour la grande majorité des joueurs – les joueurs récréatifs –, le jeu est un divertissement, une détente. Ces joueurs espèrent eux aussi gagner de l'argent, comme on peut espérer gagner le gros lot du 6/49. Surtout, le joueur récréatif sait que sa façon de jouer ne changera rien aux résultats et qu'il ne sert à rien d'étudier le jeu ou de choisir une machine à sous en particulier, car cela n'augmentera pas ses chances de gagner. Une sortie au casino est pour lui une soirée de divertissement, qui lui coûtera quelques dizaines ou centaines de dollars, selon son budget. Enfin, il ne remettra pas les pieds au casino avant plusieurs semaines, voire plusieurs mois, peu importe s'il a gagné ou perdu.

Le joueur compulsif voit les choses différemment. Pour lui, le jeu est une question de stratégie et d'adresse. Il est persuadé que son talent peut même lui permettre de gagner régulièrement. Le jeu devient une activité solitaire qui lui permet d'échapper à la routine et aux problèmes, de s'évader. En général, le joueur compulsif dépense beaucoup plus d'argent que prévu lors de ses séances de jeu. Il veut se « refaire », et il est convaincu qu'il peut y arriver. Il accepte très mal l'humiliation de la défaite. Il ne joue pas nécessairement pour l'argent. Il joue entre autres pour se venger des échecs de sa vie. Le jeu lui permet cette revanche en lui procurant des gains instantanés. Il pense ainsi maîtriser le hasard. Lorsqu'il gagne, le joueur compulsif a l'illusion d'avoir le contrôle sur le jeu, d'être le plus fort. Son estime de soi est alors très élevée, il rayonne.

Lorsque je gagnais, plus rien n'avait d'importance. Ni ma vie affective ni ma vie professionnelle. J'étais en état de grâce. J'avais confiance en mes moyens, en mon potentiel. Je prenais ma revanche sur mes échecs. Je ne jouais pas pour la galerie, car j'ai toujours eu horreur des spectateurs. Ma galerie à moi, c'était le passé : un supérieur immédiat qui m'avait fait suer, une promotion refusée, un échec amoureux. Un gain important effaçait tous ces échecs. Et je me disais alors que j'avais eu raison de consacrer mon temps et mon argent au jeu.

Gagner, c'est aussi une sensation de bien-être, de joie. Une sensation qu'on peut comparer à celle que ressent un drogué s'injectant sa dose. C'est un *high* extraordinaire. Une poussée d'adrénaline incroyable. Tout comme le drogué, le joueur compulsif a aussi besoin de doses de plus en plus fortes. Je me rappelle la première fois où j'ai misé 25 $ au black-jack. Mon cœur battait la chamade. Lorsque je gagnais, c'était l'euphorie. Ça ne dure malheureusement pas, ce qui nous pousse à miser des montants sans cesse plus élevés. S'il faut miser de plus en plus pour avoir un *high*, plus on perd, plus les *downs* font mal. On se déteste, on regrette d'avoir misé autant, d'avoir perdu la tête. Et on quitte le casino découragé. On se promet de ne plus y retourner avant longtemps, d'être raisonnable. Mais sur le chemin du retour à la maison, on se convainc du contraire. On rationalise. On identifie les erreurs commises. Avant même de rentrer chez soi, on a pris la décision de retourner au casino au plus vite, cette fois pour y jouer intelligemment... Au fur et à mesure que la confiance revient, la descente se poursuit inexorablement. On déboule les marches deux par deux...

Tôt ou tard arrive le moment paniquant où on n'a plus d'argent. On doit alors absolument s'en procurer. À ce moment-là, certains joueurs arrivés au milieu de l'escalier décident de remonter les marches une à une. Ils avouent être malades et avoir besoin d'aide. Ceux-là sont vraiment chanceux. D'autres persistent. Tous les moyens seront alors bons pour se procurer de l'argent. Commence alors une période tragique pour le joueur. Il se mettra d'abord à mentir.

Les premières victimes du joueur sont les parents, le conjoint, les amis et même les enfants. Il est tellement convaincu qu'il peut réparer ses erreurs et gagner qu'il se procurera de l'argent illégalement. Il commettra ce qu'on appelle un crime de collet blanc, des fraudes auprès de ses proches ou de son employeur, des fraudes qui pour lui sont temporaires, qu'il pourra réparer lorsqu'il gagnera, car il est convaincu qu'il finira par gagner. Il y a une statistique implacable, vérifiée dans plusieurs pays, et c'est celle-ci: deux joueurs compulsifs sur trois commettent des actes illégaux pour continuer à jouer ou pour rembourser leurs dettes[9]. Sauf exception, pas question cependant pour le joueur compulsif de commettre un acte radical comme un vol à main armée: il n'est pas un criminel et il franchirait ainsi un point de non-retour. Mais certains crimes de collet blanc peuvent avoir des conséquences tragiques. Ainsi, cette employée, joueuse compulsive, travaillant pour la Société de l'assurance automobile du Québec et qui, pour rembourser une dette de jeu, a vendu des renseignements confidentiels à des représentants du crime organisé. Ces renseignements ont permis aux motards criminalisés d'obtenir les numéros de plaque d'immatriculation d'une vingtaine de personnes[10].

Tout comme moi, les joueurs compulsifs qui ont témoigné n'ont jamais pensé qu'ils tomberaient si bas. Citoyens exemplaires, ils ont pourtant fait des gestes illégaux alors qu'ils n'avaient aucune prédisposition à commettre vols et fraudes. Lorsqu'un joueur compulsif vole sa mère, son conjoint, ses enfants ou son employeur pour assouvir sa passion du jeu – sa maladie –, il commet deux crimes. En plus de faire un geste illégal, il trahit des personnes qui l'aiment, qui lui font confiance. À la culpabilité s'ajoute la honte. C'est cela plus que tout le reste qui lui fait mal et l'empêche de se regarder en face dans le miroir. À ce point, il n'a plus aucune estime de lui-même. Certains envisageront sérieusement le suicide.

Quand j'ai traversé cette période, je me sentais comme hypnotisé. Je ne sais pas où je me serais arrêté pour obtenir de l'argent. Seul le jeu avait de l'importance. J'étais victime d'un cercle infernal qui tournait à un rythme étourdissant. Plus je jouais, plus je me calais. Plus je m'endettais. Parce que j'avais déjà remporté un lot important, j'étais certain que cela m'arriverait de nouveau. Grâce à ma bonne étoile, j'allais de nouveau gagner beaucoup d'argent et tout rentrerait dans l'ordre. Il m'arrivait parfois de gagner plusieurs milliers de dollars, mais ce n'était pas assez. Je continuais à jouer jusqu'à tout perdre.

Curieusement, perdre ne me surprenait pas. Parfois même, je me disais que je le méritais. Parce que j'avais rompu ma promesse de ne plus jouer. Parce que j'avais menti à ma famille. Parce que j'avais fait un geste illégal en empruntant de l'argent à l'entreprise sans autorisation. J'avais perdu parce que j'avais triché avec moi-même. Je ne méritais pas de gagner. J'expiais mes péchés…

Devant l'appareil de loterie vidéo ou à la table de jeu, celui qui a commis un geste illégal pour jouer ne réalise pas la gravité de son geste. Pour lui, ce n'est pas un vol, c'est un emprunt. Il le croit sincèrement. Il va gagner et rembourser l'argent là où il l'a pris, et alors tout rentrera dans l'ordre. Mais ce n'est pas ce qui arrive. Il perd cet argent ou, s'il gagne, il le rejouera pour en gagner plus. Inévitablement, il finira par tout perdre. C'est à ce moment que le ressac le rejoint…

Le joueur quitte le casino – ou le bar – sans le sou. La réalité le frappe de plein fouet: « Qu'est-ce que j'ai fait? Est-ce vraiment moi qui ai fait ce geste? Suis-je tombé si bas? Mais où est passé celui que j'étais avant de connaître le jeu? Suis-je en train de gaspiller ma vie? » Ce sont des réflexions qui viennent à l'esprit du joueur compulsif dans ses moments de lucidité. Elles le quitteront malheureusement, quelques heures, au plus quelques jours, après sa dernière séance de jeu. Ses promesses s'envolent alors. Il est convaincu que la prochaine fois sera la bonne. « Je partirai dès que j'aurai atteint 100 $ de gain. » Cependant, le même scénario maudit recommence. Jusqu'au jour où un événement ou quelqu'un fera en sorte que le joueur voudra vraiment s'en sortir. Moi, c'est l'argent emprunté à l'entreprise qui a été la lumière rouge : je devais faire quelque chose avant qu'il soit trop tard. Malheureusement pour certains, pas nombreux mais encore trop, ils passeront outre à cette lumière rouge et continueront à s'enliser fatalement dans l'enfer du jeu jusqu'à y laisser leur vie. Hélas, les statistiques le confirment, les tentatives de suicide sont beaucoup plus fréquentes chez les joueurs compulsifs que dans le reste de la population[11].

Aux États-Unis, une analyse des recherches sur le suicide chez des membres des Gamblers Anonymes révèle que 12 % à 18 % d'entre eux ont attenté à leurs jours[12]. Chez les adolescents, c'est dramatique. Une étude effectuée au Québec auprès d'étudiants de niveau collégial indique que 26,8 % des étudiants qui sont joueurs compulsifs ont tenté de se suicider, alors que ce problème n'affecte que 7,2 % des étudiants qui n'ont pas de problèmes de jeu[13].

Le joueur compulsif préférera des modes de jeu continu, comme les appareils de loterie vidéo, la roulette, le black-jack ou les loteries instantanées, car il est important pour lui de connaître les résultats le plus vite possible. Souvent, il aimera mieux s'adonner aux jeux qui donnent l'impression qu'ils nécessitent un certain jugement ou une habileté afin de croire qu'il est en mesure d'en influencer les résultats.

Alors que le joueur récréatif n'est que déçu s'il perd au jeu, le joueur compulsif vit un échec. Cet échec est particulièrement souffrant, car il vient s'ajouter aux autres échecs de sa vie (échecs souvent causés par sa dépendance au jeu). Un échec de plus qui lui renvoie une image peu flatteuse de lui-même. Il est un zéro, un moins que rien, et sa déprime n'en sera que plus profonde, plus tragique. Il ne voit pas comment il pourrait s'en sortir autrement qu'en gagnant, en battant la machine ou le croupier.

Pendant les derniers mois où j'ai fréquenté le casino, j'y allais sans plaisir aucun. J'étais agressif, mon seul but étant de gagner, tendu comme un athlète avant une compétition. Mais contrairement à l'athlète, je n'y prenais aucun plaisir. Pourtant, si j'avais réalisé à ce moment-là que je n'étais pour rien dans mes malchances, j'aurais eu une tout autre attitude. Je considérais ces malchances comme des échecs alors qu'ils n'étaient que le fruit du hasard.

Si le joueur compulsif pouvait seulement accepter cela, comprendre que ce ne sont ni son talent ni ses compétences ou son habileté qui sont mis en cause. S'il comprenait cela, il ne se mépriserait pas autant et trouverait la lumière au bout du tunnel. Car lorsqu'on s'obstine à vouloir gagner contre le hasard, on livre une bataille surhumaine, impossible à gagner. Même les plus grands stratèges financiers ou les plus grands hommes de science n'y arriveraient pas. Le joueur compulsif place la barre à une hauteur telle qu'aucun être humain ne pourrait jamais l'atteindre. Mais lui se croit en mesure de le faire ! Tant qu'il ne réalisera pas que c'est impossible d'atteindre cette hauteur et qu'il n'a pas à se dévaloriser à cause de cela, il continuera à s'enliser, à s'endetter et à se détruire.

Si, comme moi, vous êtes un joueur compulsif, relisez souvent ces dernières lignes. Relisez-les jusqu'à ce que vous réalisiez, comme moi, que vous n'êtes pour rien dans vos pertes au jeu, ni d'ailleurs dans vos gains. Vous n'êtes ni meilleur ni pire qu'un autre joueur. Votre seule erreur a été de vous obstiner à vouloir contrôler ce qui est incontrôlable : le hasard.

10
L'attrait du jeu

Le jeu fait partie des mœurs humaines depuis des millénaires. En fait, pour retracer l'origine des jeux de hasard, il faudrait remonter aux origines de l'homme, le jeu étant probablement né le jour où celui-ci a réalisé qu'il avait la faculté de se projeter dans le futur, de rêver à de meilleures conditions de vie. Grâce aux jeux de hasard, il avait la possibilité de gagner quelque chose instantanément, et ce, sans effort.

De nos jours, l'engouement de la population pour les jeux de hasard est universel. Pourquoi un tel engouement pour une industrie qui somme toute ne vend que du rêve ? Car c'est bien ce qu'elle vend, l'industrie du jeu : du rêve. Lorsqu'on achète un billet de 6/49, et nous en achetons environ

13 millions par tirage, ce n'est pas pour gagner 10 $, n'est-ce pas ? Nous visons tous le gros lot. Pourtant, dans ces 13 millions de billets vendus, à peine 2 % seront gagnants et près de 95 % de ces billets gagnants seront des lots de 10 $. Malgré les chances infimes de gagner le gros lot, une sur 14 millions environ, la clientèle demeure fidèle : chacun de nous espère que cette fois-ci la chance sera au rendez-vous et qu'il ira chercher le gros lot du 6/49 ou de la Super 7. Rarement aura-t-on vu une telle fidélité à un produit quasi imaginaire qui ne fait que se laisser désirer par 99,99... % de ses clients. Il y a de quoi rendre jalouses les autres entreprises commerciales qui dépensent des fortunes pour fidéliser à leurs produits, bien réels ceux-là, leurs clients de plus en plus volatils.

Rêve et espoir, ce sont là les deux mots clés du succès des jeux de hasard. Si vous vous limitez à un billet par tirage de la loterie du 6/49, cela vous coûtera 2 $ par semaine pour rêver et espérer durant quelques jours que cette fois-ci ce pourrait être votre tour. C'est une somme très modique pour un si grand rêve, n'est-ce pas ? Même si, et c'est le cas, vous ne gagnez pas le gros lot, ni même 10 $, ce n'est pas catastrophique, car cela vous aura permis de rêver et d'espérer pendant quelques jours.

Les loteries instantanées, que j'appelle des machines à sous sur papier, connues aussi sous le nom de « gratteux », rejoignent les rêveurs pressés. Au rêve et à l'espoir, les « gratteux » ajoutent l'espace-temps : plus besoin d'attendre le jour du tirage pour savoir si l'on gagne, on le sait instantanément. Les loteries instantanées sont très populaires : au Québec, les ventes de ces billets dépassent celles de la loterie du 6/49 (579,9 millions de dollars de ventes contre 461,9 millions en 2000-2001). Mais elles sont aussi plus dangereuses que la bonne vieille 6/49. Un chercheur, à qui l'Association européenne des loteries a demandé de faire une recherche sur les jeux de hasard, place les loteries instantanées dans la catégorie des jeux agressifs, tout comme les appareils de loterie vidéo, à cause entre autres de la possibilité pour le joueur de jouer sans relâche[14]. Pour maintenir l'intérêt de ces loteries instantanées, les sociétés d'État qui les gèrent renouvellent régulièrement les thèmes et changent les règles du jeu. Seulement au Québec, Loto-Québec met sur le marché une trentaine de loteries instantanées chaque année[15].

Les casinos, qui connaissent eux aussi un engouement dans toutes les classes de la société et dans toutes les sociétés, vendent également du rêve et de l'espoir instantané. Mais il y a un autre ingrédient ajouté à la recette pour expliquer leur succès. Cet ingrédient, c'est le divertissement. Rêve, espoir instantané et divertissement, voilà la formule magique des casinos. En général, une visite dans un casino est un divertissement fort agréable, que vous soyez joueur ou non. L'ambiance est toujours à la fête, le personnel est de bonne humeur, affable et courtois. Les cocktails sont gratuits pour les joueurs, même si vous ne jouez qu'aux machines à 5 sous. Il y a également des spectacles gratuits, des musiciens, des chanteurs, etc. La décoration est tout sauf austère : un véritable arbre de Noël vu de l'intérieur, avec ses néons multicolores, ses lumières qui « flashent ». Les clients sont déconnectés du train-train quotidien, de leur réalité. L'ambiance du casino agit comme une soupape pour évacuer un peu de stress accumulé. On change régulièrement l'agencement des lieux, en déplaçant les machines à sous, en en installant de nouvelles ; c'est important, car le client régulier doit toujours voir du nouveau, comme pour les loteries instantanées. Chaque événement d'importance est souligné par une décoration appropriée. Bref, on crée une atmosphère de fête permanente pour que la clientèle se sente bien dans l'édifice, qu'elle y prolonge son séjour. Rappelez-vous, c'est très important, le temps joue toujours en faveur du casino.

La légalisation des jeux de hasard dans la plupart des États américains et au Canada, ainsi que la prolifération des casinos en Amérique du Nord n'ont fait qu'augmenter l'attrait de Las Vegas pour les millions de nouveaux joueurs que cette légalisation du jeu a amenés. Au rêve, à l'espoir instantané et au divertissement des casinos, Las Vegas, la capitale mondiale du jeu, a ajouté un quatrième ingrédient unique à cette ville. Cet ingrédient, je l'appellerais l'histoire condensée en trois dimensions. Les stratèges de Las Vegas ont bien joué leur jeu, en effet, en construisant des mégacasinos thématiques. Ils s'assurent qu'aucun autre endroit sur la planète ne pourra les imiter. Les nouveaux mégacasinos sont littéralement des rappels de périodes de l'histoire ou d'endroits universellement connus : la Rome antique, l'époque médiévale, les pyramides d'Égypte, la tour Eiffel, Venise et ses gondoles, New York, Hollywood, tout y est condensé sur quelques kilomètres. Vous pouvez tous les soirs voir un volcan cracher le feu à quelques mètres de vous ; si vous vous retournez, c'est un combat naval entre un bateau de pirates et un bateau de Sa Majesté qui se déroule devant vous. Tout cela est faux, mais tellement bien imité que vous ne pouvez pas ne pas embarquer. Si vous vous rendez au centre-ville, même le ciel est faux ! Pour les spectacles aussi, on tente de s'assurer qu'ils ne pourront pas être reproduits ailleurs dans le monde. Il serait en effet impossible de présenter le spectacle *O* du Cirque du Soleil ailleurs, car le coût des infrastructures est exorbitant. Las Vegas s'est assuré l'exclusivité planétaire. Récemment, nous apprenions que le Caesar's Palace avait mis sous contrat Céline Dion, la plus grande *pop-star* de la planète, et ce, pour une période de trois ans. Il s'agit là d'un autre bon coup de marketing de la part de Las Vegas. Vous voulez voir Céline Dion en spectacle ? Pas de problème, venez à Las Vegas, elle y est à demeure.

11
David contre Goliath

Peu importe où, une soirée passée dans un casino peut être très agréable si vous y allez dans l'esprit de vous divertir, avec un budget de jeu selon vos moyens. Tant qu'à acheter 20 billets de loterie, pourquoi ne pas aller jouer ces 20 $ au keno* du casino ou à l'une de ses machines à sous ? Au moins, vous allez vous amuser, avec vos 20 $. Mais il faut savoir s'arrêter, tout comme vous savez vous arrêter lorsque vous achetez un billet de loterie instantanée. Si, et c'est généralement le cas, ce billet de loterie instantanée ne vous donne pas les trois symboles identiques indiquant que vous avez gagné le gros lot, vous ne continuerez pas à acheter des billets

* Keno : jeu de hasard s'apparentant au Banco.

de loterie jusqu'à ce que votre portefeuille soit vide, n'est-ce pas ? C'est cette attitude qu'il faut avoir lors d'une visite au casino. Lorsque votre budget de jeu est dépensé, arrêtez-vous, ne jouez plus, profitez plutôt des nombreux spectacles gratuits, et pas seulement les spectacles des artistes professionnels. Parmi la foule présente, vous en verrez aussi, des spectacles. Certains joueurs aiment montrer leur richesse (souvent temporaire), d'autres veulent être le centre d'attraction. Si les spectacles vous désolent, rentrez chez vous, mais surtout n'essayez pas de vous reprendre. En agissant ainsi, vous agiriez comme celui qui, n'ayant pas gagné avec son billet de loterie instantanée, continuerait à en acheter tant qu'il n'aurait pas vidé son portefeuille.

Si vous vous entêtez, vous n'aurez aucune chance contre le casino, jamais vous n'en sortirez gagnant à long terme. Bien sûr, vous entendrez des histoires de joueurs raisonnables qui vous diront qu'ils gagnent 50 000 $ ou 100 000 $ par année au casino en jouant intelligemment au black-jack, mais permettez-moi d'en douter. Il y a sans doute quelques exceptions, notamment parmi ceux qui comptent les cartes. En comptant les cartes, le joueur augmente ses chances de gagner en prévoyant les cartes à venir. Les compteurs de cartes professionnels sont généralement bannis des casinos. Certains joueurs vous diront même qu'ils gagnent régulièrement aux machines à sous ou au keno ! N'en croyez rien, un joueur est un excellent menteur.

Au casino, que ce soit celui de Montréal ou ceux de Las Vegas, tout est mis en œuvre pour vous soutirer le plus d'argent possible. Il ne s'agit pas de trappes à ours, c'est beaucoup plus subtil que ça. L'agencement des lieux, pour commencer. Essayez de trouver les toilettes dans un casino : elles sont dissimulées au fond du bâtiment ! Pour vous y rendre, vous devez traverser une armée de machines à sous, toutes plus clinquantes les unes que les autres, placées en travers de votre chemin. Certaines même parlent, d'autres sifflent à votre passage pour attirer votre attention. (Bientôt, vous verrez, il y en aura des mobiles qui circuleront sur le plancher, elles se mettront directement dans votre chemin.)

Dans tous les casinos du monde, pour vous rendre à la salle de spectacles, vous devez immanquablement traverser la salle de jeu et affronter des centaines de machines à sous. Remarquez que les machines à sous près des entrées des casinos sont programmées pour fonctionner avec des pièces de 25 cents. Qui n'a pas deux ou trois pièces de 25 cents dans ses poches ? D'ailleurs, les machines à sous jouent un grand rôle dans la stratégie marketing des casinos, elles sont leurs vaches à lait ; les deux tiers des revenus proviennent des machines à sous. Au Québec, c'est encore plus élevé puisqu'elles génèrent 72,8 % des revenus totaux des casinos[16]. En plus, elles mettent de la couleur à l'intérieur du casino, elles sont aguichantes, attrayantes, certaines offrant des gros lots faramineux, qui une auto luxueuse, qui un bateau, qui un gros lot de plus d'un million de dollars ! Dites-vous bien cependant que plus le lot est important, plus minces sont vos chances de le gagner. Mais les gros lots sont là pour être gagnés et les casinos ne trichent pas : que le gros lot soit de 2 000 $ ou de 2 millions, il sera gagné un jour. Les gros lots plus modestes seront gagnés plus souvent, bien entendu.

Lorsqu'un client gagne un lot d'importance, la direction du casino s'assure de bien le faire savoir à tous ceux qui ne sont pas trop loin ; musique sortant de l'appareil, lumière qui « flashe » ou encore une sirène stridente. On crée un événement, faisant ainsi d'une pierre deux coups: on rend le casino crédible, car il est bien important que les clients réalisent que les gros lots se gagnent, et on augmente aussi l'intérêt pour les machines à sous. Si mon voisin a gagné le gros lot, pourquoi ne pourrais-je pas le gagner moi aussi?

Même si ce n'est pas un gros lot mais seulement quelques pièces de monnaie que le joueur gagne, lorsque celles-ci tombent dans le récipient de métal au bas de la machine à sous, elles font beaucoup de bruit afin d'attirer l'attention des autres joueurs du secteur. Oyez, oyez, un autre heureux gagnant!

L'engouement pour les machines à sous s'explique par la simplicité de leur fonctionnement. Pas nécessaire d'avoir une habileté particulière pour y jouer. De plus, il s'agit d'un jeu solitaire: le joueur y va à son rythme, sans aucune pression. Il est roi et maître de sa machine. Pour les rendre encore plus accessibles, la direction des casinos offrira des machines à sous pour tous les budgets, de 5 sous à 500 $ par mise. De plus, on multipliera le nombre de jeux disponibles. Vous êtes tanné des Wild Cherry? Il y a les Lucky 7, le poker, le keno… il y en a pour tous les goûts.

La plupart des casinos programmeront les machines à sous qui sont situées à des endroits stratégiques, c'est-à-dire où il y a une circulation dense, de façon à ce que ces appareils soient plus généreux que la moyenne. C'est une question de stratégie marketing. Tout comme une grande chaîne de magasins offrira à prix très bas un certain nombre d'articles populaires afin que la clientèle perçoive que dans l'ensemble, cette chaîne vend moins cher que ses concurrents, alors que ce n'est pas nécessairement le cas.

Dans tous les casinos du monde, du moins ceux qui se respectent, vous ne verrez pas d'horloge, celle-ci étant pour les casinos ce que la croix chrétienne est aux vampires ! La raison en est simple : on veut vous faire perdre la notion du temps car, ne l'oublions pas, le temps joue toujours en faveur du casino. Dans la majorité des casinos américains, les croupiers n'ont même pas le droit de porter une montre. Et, sauf quelques exceptions, dont le Casino de Montréal, vous ne verrez pas la lumière du jour à l'intérieur d'un casino. Encore là, les casinos craignent la lumière du jour car, pour prendre votre argent, il faut vous faire perdre la notion du temps : plus vous jouerez longtemps, plus vous serez fatigué et... plus vous jouerez mal.

Aux tables de black-jack, on a la hantise des joueurs professionnels, les compteurs de cartes. Si vous êtes dans une période de chance à ce jeu, le chef de section fera tout pour vous déconcentrer, vous demandant d'où vous venez, si vous logez à l'hôtel, etc. Il doit s'assurer que votre chance est uniquement due au hasard, et non pas à un système de comptage de cartes.

Les coffres du casino sont sans fond : n'essayez pas de vider la banque, c'est impossible. C'est David contre Goliath, mais contrairement à l'histoire originale, vous ne gagnerez pas la guerre. Vous pouvez cependant gagner des batailles à l'occasion. Mais si vous livrez trop de batailles, vous serez perdant. Que ce soit aux machines à sous ou aux tables de jeu, le casino est programmé pour gagner. C'est un Terminator. Il n'a aucun sentiment et les croupiers ne jouent pas avec leur argent, alors ils ne dévient jamais de leur programme, peu importe le montant des mises sur la table. Ils ne se laissent pas guider par leurs émotions, contrairement à nous, les joueurs, qui réagissons à plusieurs facteurs externes au jeu. Notre état d'esprit, pour commencer : si nous sommes gagnants, nous serons plus confiants, moins nerveux. Le montant de notre mise nous influence également. Au black-jack, lorsque nous misons 25 $ sur une carte et que le total de notre jeu est de 16, nous hésitons davantage à prendre une autre carte que si notre mise n'était que de 5 $. Le jeu du joueur précédent peut également nous influencer. Bref, nous ne sommes pas une machine, alors que le croupier agit, lui, comme un automate. Il ne change jamais sa manière de jouer, il est constant. C'est ce qui fait sa force. Rassurez-vous, même s'il est un Terminator, le casino n'ira pas vous chercher chez vous ou dans la rue mais, dès que vous êtes dans son antre, vous êtes en danger. Il a toutes les ressources nécessaires pour vous battre : ses coffres sont inépuisables et ses armes sont quasi illimitées. Vous n'aimez pas les machines à sous ? Pas de problème, il y a le keno, le black-jack, la roulette, le craps, le pai gow, le poker des Caraïbes, le poker Grand Prix, le baccara, le sic-bo… et bien d'autres. On vous offre le choix des armes mais, peu importe votre choix, le casino vous vaincra, peut-être pas à court ou moyen terme, mais à long terme il est l'unique vainqueur. Car, je le répète et c'est très important, le temps joue toujours en faveur de la maison.

Les clients sont en outre traités comme des VIP, dans les casinos, et c'est encore là une stratégie pour vous déstabiliser : on vous valorise, ce que recherchent tous les joueurs. À Las Vegas, on vous reçoit comme si vous étiez membre du jet set international, rien de moins : personnel très courtois, révérencieux à votre endroit, à votre service 24 heures chaque jour. Si vous gagnez quelques milliers de dollars, on fera encore plus pour vous : hébergement et repas gratuits, billets pour des spectacles aux frais de la maison, etc. Si la direction du casino agit ainsi, ce n'est pas pour vos beaux yeux : elle veut vous retenir le plus longtemps possible dans l'espoir que vous perdrez votre argent.

12
Perdre la tête

Pourquoi des individus rationnels, raisonnablement équilibrés perdent-ils la tête lorsqu'ils sont face au jeu ? Cette question, je me la suis souvent posée. Qu'est-ce qui fait que lorsque je suis à l'intérieur d'un casino, je dérape totalement ? Face au jeu, nous agissons, je parle ici des joueurs compulsifs, de manière complètement irrationnelle. Pourtant, en dehors du jeu, nous sommes des personnes réfléchies, des gagnants même. Si nous agissions au travail comme au jeu, nous serions considérés comme des personnes un peu dérangées et nous serions congédiés sur-le-champ.

Ce serait bête, n'est-ce pas, d'agir de manière irrationnelle devant une situation rationnelle ? Prenons comme exemple une situation d'affaires. Vous êtes devant un client potentiel, c'est un gros contrat en prévision pour votre société. Tout à coup, sans explications, sans dire un mot sur les avantages de ce contrat pour le client, vous fermez le dossier posé sur la table devant vous, vous sortez une pièce de monnaie de votre poche et dites à votre interlocuteur: «On joue ce contrat à pile ou face.»

Il serait absurde d'agir ainsi, me direz-vous. Vous avez entièrement raison, mais c'est souvent comme ça que nous agissons lorsque nous sommes face au jeu. Nous agissons de manière absurde, totalement irrationnelle. En fait, nous voulons agir de façon logique, alors que nous sommes devant une situation déraisonnable. Nous ne pouvons pas influencer les résultats, ce qui n'est pas le cas dans une situation d'affaires où le hasard n'existe pas. Mais souvent, face au jeu, nous utilisons les mêmes critères qui nous guident dans notre carrière alors que dans cette vie professionnelle, il n'y a aucune place pour le hasard. Vous allez chercher le contrat parce que vous avez démontré au client que c'était une bonne affaire pour son entreprise. Vous allez retourner à un restaurant parce que les fois où vous y êtes allé, la cuisine était bonne, le menu vous plaisait et le rapport qualité/prix était bon. C'est une décision rationnelle. Mais retourner jouer à une machine à sous parce que la dernière fois, elle vous a rendu quelques lots, c'est une décision irrationnelle. C'est le hasard qui vous a fait gagner, cela n'a rien à voir avec la générosité de la machine ou vos talents de joueur.

Une autre erreur que nous commettons, c'est de croire à l'effet de balancier. Nous perdons depuis une heure, une semaine, un mois, alors nous nous disons: «Cela va revenir, la chance va tourner, il y aura une période de chance qui va suivre cette période de malchance, le balancier va revenir.»

Encore là, oubliez la logique, c'est le hasard, rien d'autre. Ce n'est pas parce que la machine à sous devant nous n'a pas été généreuse de la journée qu'elle devra l'être en soirée; elle peut être non payante pendant des jours, voire des semaines. J'ai déjà dépensé, j'allais dire investi, 2 000 $ dans un appareil à 1 $, et je n'ai rien gagné. Une machine à sous qui vient de rendre un gros lot a autant de chances d'en déverser un second que n'importe quelle autre. Aux jeux de hasard, eh bien, ce n'est que du hasard. Chaque jeu est indépendant. Il ne sert à rien de faire de savants calculs pour prévoir qu'au prochain tour de la roulette, le noir ou le 14 sortira. Le rouge peut bien être sorti 15 fois de suite, il a autant de chances que le noir de sortir pour le coup suivant. C'est ça le hasard, il n'y a rien de rationnel. Vous n'êtes pas convaincu? Prenez une pièce de monnaie et lancez-la dans les airs, 100 fois; la 101e fois, peu importe les résultats précédents, il y a autant de chances qu'elle retombe pile que face, n'est-ce pas? Pourtant, autour d'une table de roulette il y a des joueurs qui prennent des notes, étudient des statistiques pour déterminer quel numéro sortira le prochain coup. J'ai souvent vu des joueurs essayer d'établir des suites de numéros à la roulette. Ils notaient pendant des semaines les numéros qui sortaient à une certaine table pour établir une séquence. Si le 31 suivait le 13 à quelques reprises, ils croyaient que le 31 avait plus de probabilités de sortir immédiatement après le 13. Ces statisticiens de la roulette sont très sérieux, et chacun a sa théorie, sa martingale. Si à l'occasion le hasard fait en sorte qu'ils aient raison, ils seront encore plus convaincus que leur méthode est la bonne, qu'ils sont plus forts que la maison.

Si nous examinions froidement la façon dont fonctionnent les appareils de loterie vidéo, nous n'y jouerions jamais dans l'espoir d'y gagner de l'argent. Car il n'y a qu'une seule certitude : à chaque dollar que vous déposez dans l'appareil, 0,08 $ s'en va à la maison. (Loto-Québec prélève en moyenne 8 % des sommes mises dans les appareils de loterie vidéo et dans les machines à sous.) Et contrairement aux machines à sous des casinos, les appareils de loterie vidéo n'offrent pas la possibilité de gagner un gros lot. Au Québec, le lot maximum que peut vous verser l'appareil de loterie vidéo est 500 $. Tandis que dans les casinos, les machines à sous offrent la possibilité de gagner un gros lot, très souvent progressif, ce qui rend le jeu plus attrayant. C'est cependant dans le 92 % de l'argent restant pour la redistribution aux joueurs que provient l'argent des lots de toutes sortes.

Pour les appareils de loterie vidéo, le pourcentage final de de remise aux clients est d'environ 76 %. Il est prévu que ce pourcentage soit de 92 % et c'est ce qui arrive, mais certains joueurs préfèrent continuer à jouer avec leurs gains, ce qui diminue le pourcentage de remise. Pour résumer et peut-être pour vous faire mieux comprendre, il y a le comportement de l'appareil et le comportement du joueur. L'appareil remettra 92 % de l'argent initial misé, pas nécessairement le même jour cependant, mais si nous regardons les statistiques de remboursement à long terme, nous aurons 92 % de retour sur l'argent initialement misé dans l'appareil. Mais le comportement du joueur est différent : ce ne sont pas tous les joueurs qui encaisseront leurs coupons et s'en iront chez eux ensuite. Certains joueront leurs gains, ce qui fait qu'à la fin, chaque dollar misé dans l'appareil redonnera en moyenne 0,76 $. Cette situation n'est pas exclusive au Québec. Ainsi, en Alberta et au Manitoba, le retour réel est de 69 %. Aux États-Unis, par exemple en Louisiane, le taux de crédits gagnés est de 92 %

mais le retour réel payé est de 61 %, tandis qu'au Rhode Island, le retour réel est de 71 %[17]. En ce qui concerne le Casino de Montréal, il a été impossible de connaître le taux réel de remise, le porte-parole du Casino n'ayant pas cette information au moment de ma demande.

Donc, si vous vous assoyez devant une machine à sous ou un appareil de loterie vidéo avec 100 $ et que vous jouez longtemps sur cette machine, vos 100 $ mis dans l'appareil vous rendront 92 $, et ainsi de suite jusqu'à ce qu'il ne vous reste rien. Ce n'est pas sans raison qu'à une autre époque on les appelait les bandits manchots (*One-armed bandit*). Il est fort possible et probable que vous fassiez des gains durant votre session de jeu, peut-être même de gros gains, mais si vous continuez à jouer sur le même appareil, vous finirez par tout perdre, votre mise initiale et les lots gagnés en cours de partie. Vous jouerez plus longtemps, c'est tout. Il est également possible que la machine à sous gobe complètement vos 100 $ en quelques minutes. C'est ça, le hasard.

En terminant ce chapitre, j'aimerais citer quelques règles à suivre qui seront utiles je crois à tous ceux qui un jour ou l'autre visiteront un casino. Ces règles ne vous permettront pas de vous enrichir, mais de passer une soirée agréable et elles vous éviteront des lendemains douloureux. Certaines de ces règles viennent de mon expérience personnelle, d'autres ont été tirées des différents livres que j'ai consultés au fil des ans. Lorsque je suivais rigoureusement ces règles, je m'en tirais généralement à bon compte mais, étant très émotif et compulsif, je les enfreignais trop souvent. La majorité de ces règles valent également pour les joueurs d'appareils de loterie vidéo.

1. **N'apportez jamais votre carte de débit ou de crédit**
   Même si vous êtes une personne raisonnable qui ne perd jamais la tête, vous ne pouvez pas prévoir quelle sera votre réaction si vous perdez l'argent que vous vouliez consacrer au jeu. Dans le feu de l'action, vous voudrez peut-être vous reprendre, essayer au moins de récupérer l'argent perdu. Si vous le faites, vous avez toutes les chances de perdre davantage. Vous êtes en position de faiblesse face au casino. Vos pertes vous ont ébranlé. Vous avez perdu le contrôle. La preuve ? Vous êtes prêt à utiliser votre carte de débit alors que vous vous étiez promis de ne pas le faire. Sortez du casino sans utiliser votre carte de débit ou de crédit, et ce sera une victoire.

2. **Jouez uniquement pour le plaisir**
   Le jeu doit être considéré comme un divertissement, rien d'autre. Tant mieux si le hasard vous favorise mais n'essayez pas de gagner de l'argent avec le jeu.

3. **Ne jouez que l'argent prévu dans votre budget de loisirs**
   Pour apprécier votre soirée au casino, ne jouez jamais au-dessus de vos moyens. Vos moyens, c'est l'argent que vous attribuez à vos loisirs. Si vous jouez l'argent du loyer ou de l'épicerie, vous jouez au-dessus de vos moyens.

4. **N'empruntez jamais d'argent pour le jeu**
   Emprunter de l'argent pour jouer, c'est souvent la première marche de la descente et il vous sera très difficile de remonter.

5. **Faites régulièrement des pauses**
   Que vous soyez gagnant ou perdant, il est important de faire des pauses : cela vous permettra de reprendre vos esprits, de vous calmer, de vous raisonner peut-être.

6. **N'allez jamais seul au casino**
Lorsque vous êtes seul au casino, il n'y personne pour vous retenir, vous ramener à la raison ; vous êtes donc une proie facile.

7. **Limitez dès le départ votre temps de jeu**
Vous le savez, le temps joue toujours en faveur du casino, alors il faut vous donner une période maximale de jeu. Passé ce délai, peu importe que vous gagniez ou perdiez, partez, dites-vous que le couvre-feu a sonné. Si vous avez une alarme à votre montre – très important de ne pas oublier sa montre –, réglez-la à une heure précise.

8. **Soyez frais et dispos**
Si vous êtes fatigué ou en état d'ébriété, même léger, vous n'aurez pas l'esprit clair, et vous prendrez de mauvaises décisions. N'allez pas au casino ou bien, si vous y êtes, quittez-le en autobus ou en taxi.

9. **Considérez vos pertes comme définitives**
La plus grande erreur que l'on commet c'est de vouloir récupérer nos pertes. C'est certes très légitime, surtout si cet argent n'était pas destiné *a priori* au jeu. Mais considérez cet argent comme dépensé. C'est une bataille perdue et il faut passer à autre chose. Et lors de votre prochaine visite, ne pensez pas à la dernière. C'est du passé.

10. **Ne soyez pas gêné de gagner !**
Aussi bizarre que cela puisse paraître, certaines personnes sont mal à l'aise lorsqu'elles gagnent. Dites-vous bien que le casino peut se le permettre, donc n'ayez aucune gêne à gagner. Ne vous laissez pas intimider par le croupier ou le chef de section (cela arrive dans certains casinos américains).

11. **Oubliez vos gains précédents**

Si, par chance, vous réussissez à sortir du casino avec un gain, peu importe son importance, dites-vous qu'il s'agit d'argent durement gagné. Vous devez l'utiliser comme tel. Ne vous présentez pas au casino lors d'une visite subséquente en vous disant : « De toute façon c'est de l'argent facilement gagné ; même si je le perds, ce ne sera pas dramatique. » Faux. Le casino lorsqu'il vous vide les poches, n'est pas plus généreux avec vous lors de votre visite suivante. Agissez comme lui. Pourquoi ne pas payer une dette ou acheter quelque chose avec ce gain ? Ainsi, il ne retournera jamais au casino.

12. **Autoexclusion**

Si vous transgressez les règles 1, 2, 3, 4 ou 7, avant de sortir du casino demandez à un agent de sécurité de vous conduire aux bureaux de l'administration et faites-vous exclure pour une certaine période de temps.

13

Passe-temps ou passion?

Tout le monde recherche les sensations fortes. La vie serait ennuyante si nous ne pouvions pas de temps en temps vivre des moments enivrants. Cela commence dès notre tendre enfance alors que nous découvrons l'excitation que procurent les jeux dans les parcs. Rappelez-vous lorsque, assis sur la balançoire, votre mère ou votre père vous poussait dans le dos: vous vouliez aller toujours plus haut, toujours plus vite. Ensuite, à l'adolescence, les tours de manège dans les parcs d'amusement vous grisaient et les films d'horreur vous effrayaient. À l'âge adulte, c'est la pratique de votre sport préféré qui vous permet de décompresser, ou encore ce sont les performances de votre équipe sportive favorite qui vous font lever de votre siège. Les jeux de hasard sont une autre façon de faire monter l'adrénaline en nous. Maintenant qu'ils sont légalisés et exploités par le gouvernement en plus, il n'y a plus aucune gêne à y participer. Ils font maintenant partie des mœurs.

Mais si pour la grande majorité des gens les jeux de hasard constituent un divertissement, un passe-temps agréable, il n'en est pas ainsi pour une partie encore restreinte mais grandissante de la population pour qui ils sont devenus un problème sérieux. En effet, pour les joueurs compulsifs les jeux de hasard sont une passion empoisonnée qui mine graduellement leur vie. Pour eux, les jeux sont une autre forme de toxicomanie avec tous les problèmes qui peuvent en découler.

Ceci étant dit, comment tirer la ligne entre la compulsion et la raison ? Quand commence le danger de la dépendance au jeu ? Est-ce que le fait de jouer régulièrement fait obligatoirement de vous un joueur compulsif ? Qui est un joueur à risque et qui ne l'est pas ? Pas facile de répondre à toutes ces questions pertinentes et préoccupantes. Pour nous aider à y voir plus clair, des organismes ont développé des tests comprenant une série de questions relatives au jeu compulsif. Je vous en propose deux : celui de l'American Psychiatric Association, qui est l'autorité mondiale dans ce domaine et qui a développé des critères permettant de faire un diagnostic médical. Le deuxième est celui des Gamblers Anonymes, mouvement qui aide les joueurs compulsifs un peu partout dans le monde. Voici d'abord celui de l'American Psychiatric Association[18]. Vous voulez savoir où vous vous situez ? Répondez à chacune des questions.

1. Êtes-vous obsédé par le souvenir de vos expériences du jeu, par la prévision des prochaines tentatives ou des moyens de vous procurer de l'argent pour jouer ?

2. Avez-vous besoin de jouer avec des sommes d'argent croissantes afin d'atteindre l'état d'excitation désiré?
3. Est-ce que vos efforts répétés en vue de contrôler ou de réduire votre envie de jouer ou de cesser de jouer sont infructueux?
4. Est-ce que vos efforts pour cesser de jouer ou pour diminuer se traduisent chez vous par un état d'agitation ou d'irritabilité?
5. Est-ce que vous jouez pour échapper aux difficultés ou pour soulager un sentiment d'impuissance, de culpabilité, d'anxiété, de dépression?
6. Après avoir perdu de l'argent au jeu, est-ce que vous retournez souvent jouer un autre jour pour essayer de récupérer vos pertes?
7. Est-ce que vous mentez aux membres de votre famille, au thérapeute ou à d'autres personnes pour cacher votre véritable passion du jeu?
8. Est-ce que vous commettez des actes illégaux, tels des falsifications, des chèques sans provisions, des fraudes, des vols ou des détournements d'argent pour financer votre pratique du jeu?
9. Est-ce que vous mettez en danger ou perdez une relation affective importante, un emploi ou des possibilités d'études ou de carrière à cause du jeu?
10. Est-ce que vous comptez sur les autres pour obtenir l'argent nécessaire pour vous sortir de situations financières désespérées dues au jeu?

Si vous avez répondu oui à au moins cinq de ces questions, vous êtes considéré comme un joueur compulsif.

L'Association les Gamblers Anonymes a produit un test d'auto-évaluation permettant de vérifier la présence d'un problème avec le jeu. Le test comprend 20 questions. Certaines recoupent celles de l'American Psychiatric Association. Je vous propose la version adaptée par le Centre CASA, qui est un centre multidisciplinaire offrant différents services aux joueurs compulsifs. Cependant, j'ajouterais une modification; en fait, il s'agit d'une précision temporelle: l'espace-temps. Chaque question doit être délimitée dans le temps. Viva Consulting, un centre multidisciplinaire d'aide en clinique externe, suggère une période de 12 mois. Voici ce test. Répondez par oui ou par non à chacune de ces questions.

Au cours des 12 derniers mois:

1. Est-ce que le jeu a été une cause d'absentéisme à votre travail?
2. Est-ce que le jeu a rendu votre vie de famille malheureuse?
3. Est-ce que le jeu a nui à votre réputation?
4. Avez-vous déjà éprouvé des remords à cause du jeu?
5. Avez-vous déjà joué dans le but de gagner de l'argent afin de régler vos dettes?
6. Depuis que vous jouez, manquez-vous d'ambition?
7. Après une perte, sentez-vous le besoin de retourner jouer pour récupérer l'argent perdu?
8. Après un gain, ressentez-vous le besoin de retourner pour gagner davantage?
9. Avez-vous souvent joué jusqu'à votre dernier sou?
10. Avez-vous déjà emprunté de l'argent pour jouer?

11. Avez-vous déjà vendu un objet personnel pour jouer?
12. Étiez-vous réticent à utiliser votre « argent de jeu » pour régler vos comptes?
13. Le jeu vous a-t-il rendu négligent à l'égard de vos responsabilités familiales?
14. Avez-vous déjà joué plus longtemps que vous l'aviez prévu?
15. Jouez-vous pour fuir des ennuis ou des embarras?
16. Avez-vous déjà commis ou envisagé de commettre un acte illégal pour financer votre jeu?
17. Le jeu a t-il provoqué des problèmes de sommeil?
18. Les frustrations vous ont-elles porté à jouer?
19. Le jeu a-t-il été un moyen de célébrer un événement heureux?
20. À cause du jeu, avez-vous déjà pensé au suicide?

Si vous répondez oui à 7 ou plus des 20 questions, vous êtes considéré selon les Gamblers Anonymes comme un joueur compulsif. Si vous n'êtes pas certain, et que vous avez encore des doutes, je vous réfère à l'annexe où vous trouverez la liste des organismes qui pourront vous permettre d'y voir plus clair. À titre d'information, voici le programme de rétablissement en 12 étapes de l'Association des Gamblers anonymes.

1. Nous avons reconnu notre impuissance à l'égard du jeu. Nous avons perdu le contrôle de notre vie.
2. Nous en sommes venus à croire qu'une Puissance Supérieure à nous-mêmes pourrait nous redonner une manière normale de penser et de vivre.

3. Nous avons pris la décision de remettre notre volonté et notre vie à cette Puissance Supérieure, Telle que nous La concevons.
4. Nous avons fait notre bilan personnel, moral et financier, sans réserve et sans crainte.
5. Nous avons reconnu la nature de nos torts et l'avons avouée à un autre être humain.
6. Nous sommes tout à fait prêts à supprimer nos défauts de caractère.
7. Nous avons humblement demandé à Dieu, tel que nous Le concevons, de remédier à nos imperfections.
8. Nous avons fait une liste de toutes les personnes à qui nous avons causé du tort et sommes devenus prêts à faire amende honorable envers ces personnes.
9. Dans la mesure du possible, nous avons fait amende honorable envers ces personnes, sauf si, en faisant cela, nous leur causions du tort ou en faisions à d'autres personnes.
10. Nous avons continué à faire notre bilan personnel et, lorsque nous avions tort, nous l'avons promptement admis.
11. Nous avons cherché par la prière et la méditation à améliorer notre relation consciente avec Dieu, tel que nous Le concevons, en priant seulement pour connaître Sa volonté à notre égard et pour la mettre en pratique.
12. Tout en ayant fait des efforts pour mettre ces principes en pratique dans tous les domaines de notre vie, nous avons essayé d'apporter ce message à d'autres joueurs compulsifs.

Un chercheur, le psychiatre américain Robert Custer, qui a fondé en 1972 le premier centre de traitement pour joueurs compulsifs, a identifié trois phases dans l'évolution d'un joueur compulsif vers la dépendance du jeu. Selon chaque individu, chacune de ces phases sera de plus ou moins longue durée.

1. La phase gagnante

C'est la première étape: le joueur joue pour s'amuser et la chance est avec lui. Il gagne souvent et parfois de gros montants. Son estime de soi est à son plus haut, il est un gagnant. Il a le sentiment de détenir le pouvoir, il se croit invincible. S'il perd, il n'hésite pas à déroger de son budget alloué au jeu afin de se reprendre, car après tout il est plus fort que la machine ou le croupier.

2. La phase perdante

Ici, ça se corse: le joueur perd le sourire, il perd plus souvent qu'il ne gagne, mais il persiste à jouer et même à augmenter ses mises pour se reprendre. Il n'hésite pas à emprunter de l'argent partout où cela est possible. Il va se refaire, c'est certain. Lorsqu'il perd, c'est la faute du croupier ou des autres joueurs qui jouent mal, ou encore c'est la faute de la direction qui a bloqué la machine à sous pour qu'elle soit moins généreuse. Même s'il n'a pas encore perdu le contrôle, le joueur s'enlise de plus en plus, ses pertes sont de plus en plus élevées. Il s'isole. Le mensonge devient une habitude pour lui. Même si son amour-propre en prend un coup, il demeure optimiste: la chance va revenir et il pourra rembourser alors toutes ses dettes.

3. La phase du désespoir

Le joueur perd presque toujours, il n'a plus aucune estime de soi. Le jeu est devenu une obsession, une dépendance. Il panique devant tous les gestes qu'il a faits pour obtenir de l'argent. Il perd l'appétit et le sommeil. Il est au tapis. Pour plusieurs, c'est la lumière rouge qui s'allume. Ils réalisent qu'ils ne peuvent plus continuer ainsi, qu'ils ont un grave problème avec le jeu, qu'ils ont besoin d'aide extérieure. Pour d'autres, ils continueront à vouloir se refaire désespérément. Enfin pour une infime minorité, mais c'est encore trop, ils ne voient pas la lumière au bout du tunnel et il n'y a pour eux qu'une seule issue : la mort.

On ne devient pas joueur compulsif du jour au lendemain. Il est même possible que les réponses aux deux questionnaires vous excluent pour l'instant de cette catégorie. Dans quelques années cependant, à la suite d'un changement majeur dans votre vie, vous pourriez devenir un joueur compulsif. La société Vanguard Compulsive Gambling Treatment Program, sise à Granite Falls au Minnesota (États-Unis), a identifié certains signes précurseurs qui indiquent chez un joueur un risque de développer un problème avec le jeu. Ces lumières jaunes sont :

- Le joueur recherche des sensations fortes procurées par les gains d'argent.
- Il s'isole de plus en plus de ses amis et de sa famille.
- Il est moins productif au travail.
- Il emprunte de l'argent pour jouer.
- Il abuse de l'alcool, des drogues et des médicaments pour oublier.
- Il refuse d'admettre qu'il a un problème.

Après avoir identifié le problème, l'étape suivante est le traitement pour se libérer de sa dépendance. Il existe différentes approches pour aider un joueur compulsif à le faire. Pour les Gamblers Anonymes, un joueur compulsif ne pourra jamais guérir de sa maladie, et le seul remède est l'abstinence totale. Il ne pourra pas non plus arrêter de jouer sans aide extérieure et sans une croyance en une force spirituelle qui le soutiendra. Pour d'autres, il est possible pour un joueur compulsif de contrôler sa maladie par un apprentissage et une thérapie tout en s'abstenant totalement de jouer, la compulsion étant le résultat de problèmes vécus antérieurement. Enfin, certains croient que l'objectif d'abstinence complète n'est pas réaliste, et ils suggèrent un traitement où le patient est amené à réaliser qu'il ne peut y avoir aucune logique dans le hasard. Durant la thérapie, on lui démontrera vraiment ce qu'est un jeu de hasard. Une fois cette certitude assimilée, le patient pourra peut-être même continuer à jouer, beaucoup plus modérément cependant et durant des séances moins longues. Il deviendra un joueur récréatif, comme la majorité des joueurs.

Quelle approche est la meilleure? Difficile de trancher dans tout cela. En ce qui me concerne, je ne crois pas que tout est blanc ou noir. Il y a différents types de joueurs compulsifs et chacun doit trouver la thérapie qui lui convient. Cependant, je crois que la connaissance est la clé universelle pour réussir à se sortir de sa compulsion face au jeu. La phrase «L'information c'est le pouvoir» n'a jamais été aussi vraie que dans ce cas-ci. C'est lorsque j'ai vraiment compris que c'était le hasard et uniquement le hasard qui déterminait les résultats de mes parties, donc que je n'y étais pour rien, que j'ai compris que je pouvais me guérir du jeu compulsif. J'ai complètement ôté de mes épaules la responsabilité des résultats. Je ne suis plus coupable de perdre et je n'y suis pour rien si je gagne. À ce stade-ci, je ne sais pas si je vais retourner un jour dans un casino, mais je sais que mon attitude face au jeu ne sera plus jamais la même.

Pour vous aider à garder la tête froide face aux jeux de hasard, rappelez-vous que pour Loto-Québec ou tout autre organisme ou entreprise privée exploitant un casino ou des appareils de loterie vidéo, le jeu n'est pas un jeu, c'est une entreprise commerciale à but lucratif. Leur mission n'est pas de vous divertir mais de faire des profits, de gros profits, et cela à vos dépens. Lorsque vous serez devant un appareil de loterie vidéo ou assis à une table de jeu, rappelez-vous cela.

14
Le chapitre des horreurs

Sans faire la manchette des journaux, certaines histoires de joueurs compulsifs méritent d'être racontées. Pas pour faire du sensationnalisme. Pour faire réfléchir, pour mettre en garde certaines personnes qui, sans le savoir, puisqu'elles n'ont encore jamais joué, sont des personnes à risque possédant en elles les germes de cette maladie du jeu qui en font des victimes potentielles.

Des histoires d'horreur, je pourrais vous en conter des dizaines, voire des centaines, toutes plus tristes les unes que les autres. Vous en connaissez quelques-unes, celles rapportées par les médias, celles qui malheureusement se terminent par le suicide de la victime. Oui, un joueur compulsif est une victime. Heureusement, la majorité des joueurs compulsifs survivent à leur déchéance. Certains s'en sortent et repartent à zéro. D'autres espèrent encore que la chance va tourner et qu'ils vont se refaire. Les histoires qui suivent peuvent vous paraître exagérées, mais croyez-moi elles sont tristement véridiques, et je les ai recueillies auprès des personnes qui les ont vécues ou auprès de sources très fiables.

À ma table, un certain soir il y a de cela quatre ans, il y avait ce type, propriétaire d'un immeuble à revenus – appelons-le Jacques – qui m'a raconté son histoire. Un soir, il avait gagné 4 600 $ au black-jack, mais il voulait se rendre à 5 000 $. Il mise donc 200 $, et les perd. Jacques continue à jouer. Il perdra tout son gain, plus les 4 000 $ qu'il avait au départ. Il quitte le casino en pleurant. Dès le lendemain, il revient: il a vendu son auto, et veut absolument récupérer ses 4 000 $, mais il perd les 6 000$ obtenus pour son auto. C'est le désespoir. Depuis, il attend la troisième semaine du mois et offre à ses locataires une réduction du loyer s'ils paient leur mois à l'avance. Dès qu'il a un peu d'argent, il vient au casino. Je n'ai plus revu Jacques depuis cette période. A-t-il perdu son immeuble à revenus? Malheureusement, les probabilités sont contre lui.

Il y a ce gagnant d'un lot de 225 000 $. Deux semaines après son gain, il est assis à ma table de black-jack, et le croupier, qui sait que j'ai déjà gagné le gros lot du poker des Caraïbes, m'informe que c'est lui aussi un heureux gagnant du gros lot à ce jeu. On se salue. Je lui demande ce qu'il fera de son gain. Il me répond qu'il ne lui en reste plus que 75 000 $, car il devait 150 000 $ à un *shylock*. Il a l'intention d'investir ce qui lui reste dans une maison en Estrie. Il me dit que pour la première fois depuis plusieurs semaines il dort bien, l'esprit en paix. Un mois plus tard, je le revois et lui demande s'il a acheté sa maison. « Pas eu le temps », qu'il me répond. Il avait joué et perdu les 75 000 $ restants de son gros lot. Quelques mois plus tard, je l'ai revu, au petit matin : il venait d'emprunter 20 $ à un ami pour payer son taxi afin de rentrer chez lui.

Un dimanche après-midi, en 1996, je suis assis à une table de poker des Caraïbes. Mon voisin de droite est exubérant, il est de bonne humeur, heureux. Tout à coup, on l'interpelle : « Monsieur Belhumeur ! » (nom fictif) Il me regarde et me dit : « Qui est-ce qui me connaît ici ? » Intrigué, il se retourne et voit deux hommes qui lui sourient. Il me dit tout bas : « Ils m'ont reconnu. » Devant mon air inquiet, il m'explique alors qu'il s'est fait exclure du casino car il avait six immeubles à appartements, en avait perdu quatre au casino et avait décidé de se faire exclure avant de perdre les deux autres. Mais aujourd'hui ça a été plus fort que lui. Il informe les deux agents de sécurité qu'il termine sa main et qu'il les suivra ensuite jusqu'à la sortie.

Voici le cheminement de quatre personnes qui menaient une vie saine, équilibrée et qui n'avaient jamais eu quelque problème que ce soit avec l'alcool, la drogue ou le jeu auparavant.

L'histoire de Jeannine (prénom fictif) m'a été racontée par l'une de mes sœurs qui fréquente occasionnellement le casino. Jeannine venait au casino une fois par semaine pour accompagner sa mère qui aimait bien venir y passer un après-midi pour jouer aux machines à sous. Jeannine ne jouait pas, n'y voyant aucun intérêt, mais cela faisait tellement plaisir à sa mère qui jouait raisonnablement. Ces visites hebdomadaires duraient depuis six mois environ et jamais Jeannine n'avait misé ne serait-ce qu'une pièce de 0,25 $ dans une machine à sous. Elle trouvait cela idiot. Un certain vendredi midi, elle se présente chez sa mère pour l'emmener au casino. Sa mère se décommande. N'étant pas en forme, elle préfère rester à la maison. Comme Jeannine n'avait rien prévu d'autre pour son après-midi, elle décide de se rendre quand même au casino. Elle regardera les autres jouer, c'est tout. Arrivée sur place, Jeannine décide de risquer un 10 $ dans une machine à sous, et ce fut un 10 $ de trop. Depuis ce temps, sept mois se sont écoulés et Jeannine est retournée chaque semaine au casino, non plus en spectatrice mais en cliente. Le jour où ma sœur l'a rencontrée, elle était arrivée à 1 h de l'après-midi et il était rendu 4 h du matin. Tout ce temps-là elle était restée rivée à la même machine. Jeannine a avoué qu'elle avait perdu sa maison de campagne à cause du jeu. Maintenant, elle avait peur d'y laisser sa maison principale. Elle voulait s'en sortir mais ne savait pas quoi faire. Ma sœur lui a suggéré de se faire exclure du casino pour une certaine période. Elle allait y réfléchir, mais cela la gênait un peu.

Au début de l'année 2001, j'ai appris par les médias qu'un ex-joueur compulsif habitant la région de Rimouski faisait une grève de la faim pour obtenir le bannissement des appareils de loterie vidéo au Québec. L'histoire de Maurice Jean mérite d'être racontée. Jusqu'en 1997, cet homme menait une vie tranquille au Bic, charmante localité du Bas-du-Fleuve, près de Rimouski. Employé du gouvernement fédéral, Maurice occupait un poste intéressant sur un navire de la garde côtière et avait un horaire de travail qui lui plaisait bien, travaillant 15 jours consécutifs et ayant ensuite 15 jours de congé. Il n'avait jamais mis les pieds dans un casino et n'avait jamais non plus mis un sou dans les vidéo-pokers. Lorsque l'hôtelier de la place décida d'installer des appareils de loterie vidéo, Maurice Jean n'était pas d'accord. Selon lui, les appareils de loterie vidéo allaient empoisonner le village, car elles sont antisociales.

Il trouvait aberrant que le gouvernement profite de la faiblesse des gens pour augmenter ses revenus. Tous ceux qui fréquentaient l'hôtel essayèrent par curiosité les loteries vidéo nouvellement installées. Certains y prirent plaisir. D'autres demeurèrent indifférents. Maurice Jean fut le dernier à essayer ce nouveau divertissement. Rapidement, ce nouveau jeu vidéo de Loto-Québec le fascina et devint pour lui une obsession. Tout son temps libre, soit ses 15 jours de congé, il le passa devant SA machine. Maurice était le dernier à quitter l'hôtel et le premier arrivé le lendemain matin. Il n'était pas question qu'il laisse l'argent englouti la veille à un autre. C'était son argent, après tout. Les premiers mois, il y laissa la plus grande partie de son salaire, ne conservant que le strict minimum pour payer son loyer et se nourrir. Pas question de repas élaborés, juste le strict nécessaire pour calmer sa faim. Ensuite, ce fut le tour de ses économies. Après, ce furent ses cartes de crédit qui grimpèrent à leur limite. Vint un emprunt à la banque. Maurice devait continuer à alimenter sa machine. Rendu à la limite de ses possibilités d'emprunt, Maurice commença à vendre ses meubles, sa chaîne stéréo, ses livres, bref tout ce qui avait une valeur. Ensuite, ce furent de petites fraudes : chèques sans provisions. Il y avait belle lurette qu'il ne payait plus ses comptes. Lorsque son navire faisait escale dans les Maritimes, Maurice Jean était le premier débarqué, et là aussi, il alimentait les loteries vidéo. Plus rien d'autre ne comptait dans sa vie.

Durant 18 mois, la vie de Maurice Jean devint un enfer. Il n'avait plus aucune estime de lui-même, se considérait comme un vaurien. La machine devint son angoisse jour et nuit. Il avait perdu le sommeil et l'appétit. En dernier, il ne pouvait plus voir un appareil de loterie vidéo sans vomir tellement il était angoissé. Il pensa sérieusement au suicide, s'informant de l'horaire des trains pour se jeter devant. Heureusement, un soir, sa lumière rouge s'alluma et Maurice décida d'en finir avec le jeu. Il obtint un congé de maladie de son employeur à qui il avait avoué son problème. Son supérieur immédiat compatit avec lui et lui prêta même l'argent nécessaire à la thérapie. Commença alors pour Maurice Jean une cure de désintoxication du jeu de 28 jours au Centre CASA, près de Québec. C'est durant sa thérapie, alors qu'il côtoyait d'autres victimes comme lui, qu'il se rendit compte des torts causés par les appareils de loterie vidéo. Il n'était pas un cas isolé. Il communiqua avec le bureau du coroner pour avoir des précisions sur les cas de suicide liés au jeu et cela le mit à l'envers, sans doute parce qu'il avait failli être du nombre. Aussi, à son retour chez lui après sa thérapie, Maurice Jean décida d'alerter l'opinion publique sur les torts que causent les vidéo-pokers. Il voulait également faire des pressions sur le gouvernement pour qu'il retire du marché les appareils de loterie vidéo. Que pouvait-il faire pour que son message se rende jusqu'à Montréal? Cela demandait une action inhabituelle. L'idée lui vint alors de faire une grève de la faim, sachant qu'il pourrait s'écouler quelques semaines avant que les médias commencent à s'intéresser à lui et surtout aux raisons qui le motivaient à agir ainsi, mais il était prêt à courir ce risque. Lorsque je lui ai demandé pourquoi il avait choisi ce moyen, il m'a répondu:

—En 1999, à tous les 11 jours, une victime du jeu se suicidait au Québec. Il fallait tout faire pour que cela cesse et, comme je n'ai aucun pouvoir politique, il ne me restait que la grève de la faim pour faire réagir le monde.

Sa grève dura 31 jours. Mais des pressions politiques auprès des membres de sa famille, surtout auprès de sa mère, l'incitèrent à mettre fin à sa grève de la faim. Il y avait également la démission du premier ministre Lucien Bouchard qui accaparait toute l'actualité. Sa grève de la faim risquait donc de passer inaperçue dans les médias, rendant son geste inutile. Aujourd'hui, Maurice a définitivement tourné le dos aux appareils de loterie vidéo, mais continue son combat contre leur légalisation et a beaucoup d'aigreur contre le gouvernement.

Suzanne Gauthier n'avait jamais mis les pieds dans un casino, ni ici ni ailleurs. Mère divorcée de deux adolescents, Suzanne a découvert les loteries vidéo en 1996. À cette époque, une fois la semaine elle retrouvait ses *chums* de filles dans un restobar de Laval. Elles y prenaient un apéro et se racontaient leur semaine, le tout se terminant par un repas en groupe. Un soir, voyant les appareils de loterie vidéo, elles décidèrent d'y miser chacune 5 $ et de jouer à tour de rôle en s'encourageant mutuellement. Elles s'amusaient. C'était un divertissement qui ne coûtait pas cher, après tout. Le même scénario se répéta désormais chaque semaine, chacune y allant de son 5 $. Mais Suzanne y prit goût. Une fois la semaine, ce n'était pas suffisant pour elle. Elle se rendit seule un soir au restobar, uniquement pour s'essayer à la machine. « Un petit 20 $, y'a rien là », se dit-elle. Mais rapidement elle devint dépendante. Ce n'était plus 20 $ qu'elle misait, mais cinq 20 $ et ce n'était pas encore assez.

À la même époque, Suzanne changea d'emploi, son poste ayant été aboli. Caprice du hasard, son nouvel employeur était un des dépositaires de Loto-Québec dont le mandat était l'entretien des appareils et la gestion d'un territoire. Ce qui veut dire que si dans un bar il y a trop d'appareils, donc un rendement trop bas, le dépositaire a l'autorité pour replacer ailleurs le nombre d'appareils qu'il décidera.

Malgré son nouvel emploi, Suzanne continua à jouer dans les loteries vidéo et ce, de plus en plus souvent. En quelques mois, elle devint complètement dépendante. Le midi, ses heures de lunch y passaient. Dès que sa journée était terminée, elle se retrouvait immanquablement devant l'un des appareils de loterie vidéo dans un restobar près de chez elle. Pratiquement tous les soirs, Suzanne téléphonait à la maison pour dire à sa fille ou à son fils qu'elle était retenue au travail, qu'elle rentrerait vers 19 h. Elle rappelait dans la soirée pour dire qu'elle serait là à 22 h. Finalement, elle rappelait pour demander aux enfants d'aller se coucher. Elle serait là vers minuit. Par sécurité, Suzanne avait toujours son téléavertisseur au cas où il y aurait eu un pépin à la maison, le bar n'étant qu'à quelques coins de rue.

Fréquenter les flamboyants appareils de loterie vidéo coûte cher. Ça prend de l'argent pour les entretenir et ils en demandent de plus en plus. Bientôt, le confortable salaire de Suzanne ne suffit plus. Elle regarda ailleurs, soit un REÉR du temps de son ex-employeur, environ 9 000 $. Pour quelques semaines, Suzanne n'avait plus de problèmes d'approvisionnement. Pendant ce temps, cependant, les factures s'accumulaient : trois mois de retard pour le loyer, Hydro-Québec qui commençait à s'impatienter, les enfants qui demandaient quelques dollars pour leurs loisirs, mais en vain. Tout l'argent de leur mère était réservé exclusivement à ses nouveaux amis électroniques qui étaient insatiables. Elle ne soustrayait de sa paie que le strict nécessaire pour la nourriture. Lorsque les dettes étaient trop criantes, son père, qui ne soupçonnait pas encore le problème de sa fille, l'aidait en payant le loyer et les factures les plus urgentes.

Parfois elle gagnait 700 $. Elle revenait chez elle à la fermeture du bar et se promettait de payer les comptes les plus importants : électricité, téléphone, etc. Mais après une nuit de sommeil, Suzanne avait tout oublié et se disait ; « Avec ces 700 $ je vais aller en chercher un autre 700 $. » (Le refrain préféré des joueurs compulsifs !) Mais ce n'était pas ce qui arrivait. Elle remettait dans la machine son gain de la veille.

N'ayant plus d'argent pour jouer, Suzanne alla porter le téléviseur chez un prêteur sur gages, affirmant à ses enfants qu'il était défectueux. Le téléviseur tomba ainsi plusieurs fois en « panne » durant la même année. On lui remettait 75 $ pour la télé. Si elle venait reprendre l'appareil dans un délai de 30 jours, elle devait remettre 97 $, soit les frais d'intérêts et les frais d'entreposage. Au cours d'un même mois, il lui est arrivé d'avoir plusieurs articles en gage, dont une caméra d'une valeur de 500 $ pour laquelle on lui avait prêté 90 $. La caméra est toujours chez le prêteur sur gages car, avec les intérêts et frais d'entreposage, il lui en coûterait plus cher maintenant d'aller la chercher que ce qu'elle vaut.

À quelques reprises, Suzanne essaya de s'en sortir seule. Sans succès cependant. Dès qu'elle touchait sa paie, elle se dépêchait d'aller au restobar y reprendre son combat perdu d'avance contre la machine. Son copain, la voyant dépérir, lui offrit un voyage en Floride avec ses deux enfants. Une semaine loin des loteries vidéo, seule avec ses deux adolescents qui n'avaient jamais pris l'avion. Un voyage de rêve en perspective. Mais le rêve se transforma en cauchemar pour Suzanne. Elle prit les 1 600 $ qui devaient servir à défrayer le séjour en

Floride et les engouffra dans une machine. Jamais de sa vie elle ne s'était autant détestée.

Son copain passa l'éponge. Il jugea qu'il était urgent qu'elle se soustraie aux appareils de loterie vidéo. Il paya de nouveau le voyage, mais cette fois-ci, il utilisa sa carte de crédit. Suzanne et les enfants purent partir pour la Floride. À son retour, remplie de bonnes intentions et voulant absolument s'en sortir, Suzanne demanda à l'un de ses frères d'administrer son budget, son chèque de paie étant directement déposé dans son compte de banque. Son abstinence dura un mois. Ensuite, n'en pouvant plus, elle demanda une nouvelle carte de débit et changea son NIP. Les loteries vidéo avaient repris le dessus, et l'enfer recommença pour Suzanne et ses enfants. L'été suivant, avec une dette de 1 200 $, Hydro-Québec coupa l'électricité à son logement. Pendant un mois, le temps de ramasser l'argent, la famille Gauthier fit du camping dans la cour, utilisant le barbecue pour les repas. Au début c'était amusant, mais cela devint vite pénible.

Un soir d'octobre, après avoir reçu et dépensé encore une fois toute sa paie, Suzanne était rendue au bout du rouleau. Elle envisagea le suicide, se rendit sur le bord de la rivière des Prairies, mais ne voulant pas laisser ses deux enfants seuls dans la vie, elle se ressaisit et appela son copain, lui demandant de venir la chercher quelque part sur le bord de la rivière. Elle avait perdu tout sens de l'orientation. Dans les jours qui suivirent, elle fit des démarches pour trouver un centre de thérapie. On lui suggéra le Centre Claude Bilodeau, et elle y entra le 27 octobre 2000 pour un séjour de 28 jours.

Suzanne Gauthier a recommencé à vivre depuis, mais elle se questionne encore sur ce qui a pu se passer pour qu'elle déraille ainsi durant quatre ans de sa vie.

Issu d'une grande famille bourgeoise de la région de Québec, Michel (prénom fictif) était avocat corporatif. Indépendant de nature, après ses études de droit, il décida d'œuvrer en solo, préférant partir de zéro plutôt que de s'associer à une grande firme d'avocats. Pourtant, ce n'étaient pas les offres qui manquaient. Pour se hisser le plus vite possible au sommet de sa profession, Michel mit les bouchées doubles, traitant plusieurs dossiers importants à la fois, travaillant de longues journées et les week-ends. Il atteignit son but avant l'âge de 40 ans.

C'est en 1995 que les problèmes de Michel commencèrent. Il ne s'agissait pas de problèmes reliés au jeu, mais plutôt à sa vie personnelle: l'ex-ami de sa compagne était un type dangereux et violent. Il menaçait régulièrement son ex-amie de lui faire la fête. Comme ce type avait déjà eu des démêlés avec la justice, ses menaces étaient sérieuses. Il empoisonna complètement la vie du couple. Après des mois d'efforts, Michel réussit à le faire emprisonner, mais le mal était fait et le couple ne put s'en remettre. Michel mit fin à la relation. Durant cette période, toutes ses énergies étaient consacrées à ce dossier particulier. Son travail en souffrit et Michel dut transférer à d'autres avocats la plupart de ses dossiers.

Durant ses moments libres, soit à l'heure du lunch, Michel découvrit les appareils de loterie vidéo que l'on venait d'installer dans son pub préféré du Vieux-Montréal. Il trouva là un bon moyen d'évasion.

— Je m'assoyais devant un appareil et je mettais des pièces de monnaie sans savoir trop comment cela fonctionnait. Je ne me préoccupais même pas des résultats. Combien de fois ai-je dû perdre ainsi des lots de quelques centaines de dollars. Mon but n'était pas de gagner de l'argent mais de chasser mon stress.

Quelque part en 1996, Michel a craqué: épuisement professionnel total, qu'on appelle aussi *burnout.* Débute alors pour lui un long congé de maladie. Lui qui était un passionné, habitué à sentir monter l'adrénaline en lui, ne pouvait plus rien décider. Tout lui demandait un effort, même la décision de mettre une lettre à la poste lui prenait une journée entière.

— Au début je dormais 18 heures par jour, ne m'occupant que de l'essentiel. J'étais vraiment au bout du rouleau.

Ses journées se partageaient en deux: sommeil et loteries vidéo. Après plusieurs mois de ce régime, Michel devint complètement accro des loteries vidéo.

— J'étais chez moi, étendu dans le salon, et je sentais monter en moi l'appel des machines. Cela devenait de plus en plus fort jusqu'au moment où je décidais d'aller jouer, et là ça se calmait. Devant l'appareil, j'oubliais tout, absolument tout.

Les premiers mois, même s'il perdait beaucoup d'argent, Michel ne s'inquiétait pas outre mesure de cela. Il avait des économies et se justifiait en se disant que la machine lui apportait une évasion nécessaire. Mais les réserves financières de Michel n'étaient pas inépuisables et vint un jour où il n'eut plus d'économies, seulement ses indemnités pour son congé de maladie. Une grande partie de ses indemnités mensuelles y passèrent, tout comme ses objets de valeur qu'il donna en garantie contre des prêts. Michel emprunta également de l'argent à des proches et s'ingénia à faire patienter les créanciers. Cinq ans plus tard, il avait ainsi perdu environ 70 000 $ et aussi l'estime de lui-même.

Un soir de l'hiver 2001, assis devant un appareil de loterie vidéo dans son bar habituel, Michel vit un des employés venir s'asseoir en face de l'appareil voisin et y insérer un billet de 20 $. Quelques minutes plus tard, l'employé avait 150 $ en crédit, qu'il empocha, pour retourner tout bonnement travailler comme si de rien n'était. Michel vit rouge. Il arrêta de jouer, regarda ce qui lui restait de crédit, soit huit dollars, encaissa le coupon et alla réclamer son argent au patron. Il lui fit une scène terrible, trouvant immoral et injuste que le personnel du bar puisse jouer dans les appareils de loterie vidéo, profitant ainsi d'une information privilégiée puisqu'en étant sur place presque tout le temps, le personnel connaît le rendement de chacune des machines.

Depuis cet incident, qui fut en sorte sa lumière rouge, Michel n'a plus remis les pieds dans un bar où il y a des appareils de loterie vidéo. Il désire maintenant aider les autres joueurs compulsifs aux prises avec ces machines qui provoquent un dysfonctionnement des gens dans toutes les classes de la société.

Vous voulez connaître d'autres histoires d'horreur racontées par les vrais acteurs, ceux qui les ont vécues ? Rendez-vous à une rencontre des Gamblers Anonymes de votre région, vous en aurez des sueurs froides.

15
Ils en sont morts

Il y a quelques temps, devant le nombre de plus en plus élevé de suicides attribuables aux jeux de hasard, le bureau du coroner a sonné l'alarme et questionné la responsabilité de Loto-Québec pour son rôle dans ces actes de désespoir. Ce à quoi le porte-parole de Loto-Québec a répondu qu'il était sceptique, insistant sur le fait que le suicide est lié à un ensemble de causes. « À lire les rapports du coroner, on constate parfois que les gens avaient d'autres problèmes de dépendance, n'en étaient pas à leur première tentative de suicide, souffraient de diverses maladies[19]. » Mais selon un sociologue cité dans le même article, ces causes multiples découlent directement du jeu.

J'ai voulu en savoir plus sur l'environnement des victimes du jeu. Pour ce faire, j'ai consulté 10 rapports de coroner sur des victimes dont le suicide était relié à leur problème de jeu. Mentionnons qu'entre 1994 et 2001, le bureau du coroner a recensé 100 suicides qui sont attribuables à des problèmes de jeu compulsif, dont 73 au cours des 3 dernières années.

S'il est vrai que plusieurs victimes avaient effectivement d'autres problèmes comme la dépendance à l'alcool, le départ du conjoint ou la perte d'un emploi, les rapports ne nous révèlent toutefois pas, lorsque ces problèmes étaient mentionnés, s'ils étaient antérieurs ou ultérieurs au problème de jeu. Seuls les proches des victimes pourraient répondre à cette question. Mais ce que ces rapports révèlent, par contre, c'est que c'est très souvent après une ultime séance de jeu que ces victimes se sont enlevé la vie. Je cite un peu plus loin des extraits de ces rapports de coroner, mais avant, voici l'histoire de Trevor, qui fut probablement l'une des premières victimes des appareils de loterie vidéo au Québec. Sa triste histoire m'a été racontée par sa mère, Phyllis Vineberg.

Trevor Vineberg était un adolescent sans problèmes vivant au sein d'une famille très unie du West-Island de Montréal. Il était l'aîné de deux enfants et était apprécié pour sa bonne humeur et sa chaleur humaine. Comme son père, il était du type entrepreneur, et son choix de carrière avait été l'hôtellerie. Trevor rêvait d'exploiter une petite auberge et orientait ses études dans ce sens.

Durant ses études au cégep, Trevor découvrit les vidéo-pokers. Il avait 17 ans. À cette époque – nous étions en 1987 –, l'opération de vidéo-poker avec remise des crédits en argent était illégale. En principe, les crédits accumulés par ces appareils devaient servir uniquement à obtenir des parties gratuites, mais ce n'était pas ce qui se passait. En réalité, les crédits accumulés s'échangeaient pour de l'argent comptant et ce, à peu près partout où étaient installés de tels appareils, même dans les arcades pour adolescents.

Rapidement, les vidéo-pokers prirent toute la place dans la vie de Trevor. Ses études en souffrirent et, au lieu de faire son cégep en deux ans, il en prit trois. Pourtant, Trevor avait bien réussi ses études secondaires, mais le jeu accaparait tout son temps libre, au détriment de ses études et aussi de sa petite amie. Celle-ci le quitta à cause de cela, et seulement à cause de cela, car elle l'aimait bien, son Trevor. Les vidéo-pokers l'éloignèrent de plus en plus de ses copains de toujours, avec qui il avait grandi. Même son travail du week-end ne l'intéressait plus, son obsession étant les vidéo-pokers. Bientôt, malgré ses économies et son salaire, Trevor n'eut plus un sou. Lui qui, à chaque anniversaire d'un membre de sa famille ou d'un proche, s'ingéniait à trouver un cadeau original qui faisait vraiment plaisir, n'offrait plus qu'une carte de souhaits aux anniversaires. Lui qui rêvait d'ouvrir une auberge de campagne, il laissa tomber ses cours d'hôtellerie au Collège Lasalle après sa deuxième année, les vidéo-pokers prenant désormais toute la place, ne laissant aucun espace dans la tête de leur victime pour d'autres champs d'intérêt.

Pour les parents de Trevor, les jeux de hasard étaient quelque chose d'inconnu. Ils n'avaient même jamais vraiment été des adeptes des loteries et des bingos, les seuls jeux de hasard qu'ils connaissaient. Ils s'inquiétèrent du comportement de leur grand. Il était souvent préoccupé, songeur et irritable. Mis au pied du mur, Trevor avoua son problème avec le jeu et sa volonté de s'en libérer. Pour ce faire, il s'inscrivit aux rencontres des Gamblers Anonymes de sa région. Ses parents, afin de mieux connaître ce problème, assistèrent aux rencontres des Gam-Anon, le complément des Gamblers Anonymes pour les conjoints et parents des victimes. Nous étions en 1993. Durant une année complète, Trevor assista aux rencontres hebdomadaires des G.A. et se tint éloigné des vidéo-pokers. Il occupa un poste dans l'entreprise de son père et c'est tout fier qu'il célébra son premier anniversaire d'abstinence en compagnie de ses parents et d'autres joueurs anonymes. L'optimisme revint et Trevor recommença à penser à sa carrière.

Mais durant son année d'abstinence, les choses avaient changé au Québec. Le gouvernement avait autorisé Loto-Québec à exploiter des appareils de loterie vidéo par l'entremise des restaurants licenciés et bars de la province. L'incitation au jeu de vidéo-poker était auparavant cachée, aucune affiche extérieure n'indiquant sa présence à l'intérieur des établissements. Mais maintenant les appareils de loterie vidéo s'affichaient en plein jour. Peu importe l'endroit où il se rendait, à son travail, chez lui, avec ses copains dans leur restobar préféré, Trevor rencontrait sur son chemin des appareils de loterie vidéo qui semblaient le défier. Ils étaient partout, même dans les salles de quilles. Ils l'attendaient. Un soir, peu après son premier anniversaire d'abstinence, il succomba. Et rapidement les appareils de loterie vidéo redevinrent une obsession pour lui. Il retourna aux séances des Gamblers Anonymes, mais il était déjà trop tard, le cancer du jeu avait fait ses ravages. Trevor, jadis un fils modèle, plein d'enthousiasme et confiant en son avenir, n'était plus que l'ombre de lui-même. Les dettes s'accumulaient, les paiements sur son auto étaient en retard, le remboursement de ses prêts également. Il perdait aussi du poids. Lui qui aimait ses parents plus que tout se mit à leur mentir pour cacher sa rechute. Il n'osa leur révéler qu'il était retombé dans l'enfer du jeu. Le 2 juillet 1995, donc, Trevor Vineberg décida d'en finir avec ses dettes, avec le jeu, avec la vie.

Depuis ce temps, sa mère, Phyllis Vineberg, est l'une des plus actives militantes pour le retrait total des loteries vidéo au Québec et au Canada. Lorsque je lui ai parlé de mon projet et demandé sa collaboration pour ce chapitre, j'étais loin de me douter que son aide me serait si précieuse, car Mme Vineberg possède un véritable centre de documentation sur le jeu compulsif. C'est d'ailleurs de sa bibliothèque que proviennent bon nombre des livres, résultats de recherches et articles, qui m'ont aidé à rédiger plusieurs chapitres de la deuxième partie de ce livre. Malgré la douleur qui est encore présente et qui resurgit chaque fois qu'elle aborde l'histoire de Trevor, Phyllis Vineberg continue sa croisade contre les appareils de loterie vidéo et n'aura de paix que le jour où ils deviendront illégaux.

— Je le fais en mémoire de mon fils, qui a trop souffert à cause de ces machines que je croyais inoffensives. Depuis son adolescence, Trevor aimait jouer aux jeux vidéo dans les arcades. Je croyais que les vidéo-pokers étaient comme le Nintendo. Personne ne nous a dit à ce moment que les vidéo-pokers pouvaient mener à la dépendance, que ces machines étaient très dangereuses. De plus, comme c'est le gouvernement qui gérait tout cela, j'étais en confiance. Je n'aurais jamais cru que le gouvernement inciterait ses propres citoyens à devenir des victimes d'une autre forme de drogue. Il devrait avoir honte d'aller chercher ainsi de l'argent, c'est immoral.

Sa campagne étant nationale, on lui écrit de toutes les régions du Canada. Hélas, me confia-t-elle, c'est partout le même scénario : des jeunes, des adultes, des retraités qui deviennent complètement dépendants des vidéo-pokers.

— Lorsque c'est un joueur compulsif qui m'appelle, je lui raconte l'histoire de Trevor et l'incite à se sortir de ce piège qui pourrait lui être fatal. Je suis toujours disponible pour aider une victime.

Certains parents qui ont perdu un être cher se sont joints à elle dans sa croisade contre les appareils de loterie vidéo. C'est le cas de Don Bishop et de Sandra Fox Bishop, qui habitent Darling's Island au Nouveau-Brunswick, et dont le fils, Eric, s'est enlevé la vie à l'âge de 32 ans, victime lui aussi des vidéo-pokers. Eric a connu les vidéo-pokers chez lui, au Nouveau-Brunswick. Pour s'en éloigner, il accepta un travail en Ontario puis en Alberta dans le secteur pétrolifère. Il gagnait alors un excellent salaire, mais comme les vidéo-pokers sont présents presque partout au Canada, Eric succomba de nouveau. Il déménagea alors en Colombie-Britannique où il n'y a pas de vidéo-poker. Après quelques mois à Vancouver, il décida de retourner chez lui, croyant être assez fort pour résister, mais les vidéo-pokers prirent le dessus sur lui. Quatre mois après son retour, il était de nouveau accroché. Fatigué, rendu au bout du rouleau, la seule façon qu'il trouva pour se libérer de « ces petites roues qui tournent sans cesse dans votre cerveau et dont vous ne pouvez rien faire pour les en chasser* » fut de se donner la mort, ce qu'il fit le 9 août 1998.

* Conversation d'Eric avec sa mère quelque temps avant de se donner la mort.

Quelques extraits de rapports de coroner à la suite du suicide de victimes du jeu

La victime avait une situation financière précaire, liée à un problème d'abus d'alcool et à une dépendance au jeu. C'était un joueur compulsif qui jouait dans les machines « vidéo-poker ».

Décédé le 4 décembre 2000 à l'âge de 62 ans.

Saint-Jérôme, décembre 2000

*

[...] si les difficultés matrimoniales ont été l'élément déclencheur, elles tirent leurs origines dans le jeu. Tous ses proches le confirment. L'anxiété développée par le jeu et les pertes d'argent ont engendré d'autres difficultés, difficultés qui se sont reflétées sur sa vie matrimoniale. Ceci l'a amené à se suicider.

Décédé le 30 juin 2000 à l'âge de 52 ans.

Laval, juin 2000

Note laissée par la victime :

« Si je pose un geste aussi grave ou peut-être par lâcheté???, c'est que j'ai mes raisons, mais je sais que je serai libéré de cette anxiété qui me démange et qui me gruge les tripes depuis des années. J'ai fait souffrir trop de personnes cher(es) autour de moi depuis les 2 dernières années. »

*

La victime, alors âgée de 59 ans et retraitée, avait eu beaucoup de problèmes personnels au cours des dernières années, incluant des difficultés financières. Il aimait les « vidéo-pokers » et les casinos et y avait perdu de l'argent.

Décédé le 23 novembre 2000 à l'âge de 59 ans.

Québec, avril 2001

*

La victime était reconnue comme une joueuse compulsive chronique. Pendant la période des fêtes, elle aurait perdu près de 15 000 $ dans des jeux de hasard. Au début de février 2000, son employeur la congédie après 28 ans de service. Plus récemment elle perd des sommes d'argent empruntées à un ami et à son conjoint de fait. Devant ses pertes d'argent à répétition, la victime aurait informé une personne de son entourage qu'elle se rapprochait du pont Nelson, faisant ainsi allusion à un éventuel suicide.

Décédée le 9 mai 2000 à l'âge 53 ans.

Chicoutimi, juillet 2000

*

La victime avait des problèmes avec son commerce ainsi que des troubles avec sa conjointe. Il n'avait aucun problème d'alcool ou de drogue, mais une grosse dépendance avec le jeu ; il jouait énormément, perdant souvent de gros montants.

Décédé le 11 février 2001 à l'âge de 39 ans.

Grand-Mère, mai 2001

*

[...] Les différents témoignages nous démontrent qu'une dépendance reliée au jeu est à l'origine du geste posé.
Décédé le 29 mars 2000 à l'âge de 35 ans.
Québec, février 2001

Note laissée par la victime:

«Eh bien voilà, c'est ici que s'achève ma vie. Quand j'étais petit, je ne croyais pas que le jeu pouvait être dangereux mais croyez-moi ça l'est.»

*

Les policiers avisèrent la copine et les membres de la famille. Effectivement, une deuxième lettre, datée du 17 mars 2001, avait été rédigée par la victime. Il y révélait son «gros gros problème des machines à poker» et la fraude que cette passion du jeu lui avait fait commettre. D'autres notes d'adieu étaient destinées aux proches: *«Je suis parti car je suis malheureux dans mon travail à cause des bêtises que j'ai faites à cause de la maladie du jeu des vidéo-pokers j'ai investi des milliers de dollars depuis deux ans.»*
Décédé le 19 mars 2001 à l'âge de 41 ans.
Saint-Jérôme, juin 2001

*

La sœur de la victime a déclaré à l'enquêteur que son frère lui avait confié qu'au début de l'hiver, il avait joué pour plus de 50 000 $ au casino et avait retiré des REÉR. Par conséquent il devait de l'argent au fisc.

Décédé le 23 mars 2000 à l'âge de 58 ans.

Boisbriand, novembre 2000

*

Selon sa sœur, la victime n'a jamais été hospitalisée. Il ne prenait pas de médicaments. Il n'était pas suivi par un médecin. Il n'a jamais été malade. Il fumait un paquet de cigarettes par jour. Il prenait de l'alcool socialement. Il ne consommait pas de drogues. Depuis une semaine il semblait violent avec ses parents. Il « gamblait », il jouait sa paye depuis plusieurs années. Il avait quitté le travail le mercredi précédent et il avait joué sa dernière paie.

Décédé le 20 novembre 1997 à l'âge de 21 ans.

Montréal, mai 1998

*

Le psychiatre qui soignait la victime a rencontré l'époux et le fils de la victime. Dans le rapport de cette rencontre, il note: « J'ai expliqué la nature existentielle des problèmes de la patiente qui était aux prises avec un problème sévère de jeu pathologique, alors que lors de son congé d'essai, elle est à nouveau allée jouer au Casino de Montréal, s'est endettée d'au moins 4 000 $ a abusé de ses médicaments et étant découragée de toute cette situation a fini par poser un geste suicidaire fatal. »

Décédée le 12 octobre 1999 à l'âge de 56 ans.

Dorion, décembre 1999

16
Le jeu en vaut-il la chandelle ?

De tout temps à travers les siècles, les gouvernements ont eu une position ambivalente face aux jeux de hasard, tantôt les autorisant, tantôt les interdisant, ceux-ci étant pour eux à la fois source de revenus et source de problèmes sociaux. Mais jamais les jeux de hasard n'ont eu une telle popularité qu'à notre époque. Aujourd'hui, il serait difficile, voire impossible, de faire marche arrière et de les interdire. L'industrie du jeu génère trop d'argent pour les gouvernements, donc leur abolition en embêterait plus d'un. Ainsi au Québec, en 1997-1998, 3 % des revenus du gouvernement, soit 1,1 milliard de dollars provenaient de l'industrie des jeux de hasard[20]. Loto-Québec a donc largement contribué à l'atteinte du déficit zéro.

De plus, à la suite de leur légalisation, les jeux de hasard sont devenus socialement acceptables et la population a découvert et adopté une autre façon de se divertir. Plus question désormais de les interdire. Il n'est plus mal vu de s'adonner aux différentes formes de loteries ou même au black-jack et à la roulette, d'autant plus que tout cela est administré par le gouvernement et qu'en dépensant notre argent dans les divers types de jeux de hasard de Loto-Québec ou même dans l'un de ses trois casinos, nous aidons indirectement le système de santé en renflouant les coffres de l'État. De penser cela déculpabilise plus d'un joueur. Donc, qu'on le veuille ou non, l'industrie des jeux de hasard est là pour rester. Cependant, l'ampleur du succès des jeux de hasard a une contrepartie négative, soit les torts sociaux qu'ils causent chez un pourcentage de plus en plus important de la population. Cela, le gouvernement fédéral, en légalisant les jeux de hasard en 1969, était loin de le prévoir.

Cependant, il ne faut pas mettre tous les jeux de hasard dans le même panier et dire, voilà, dans ce panier il y a 10 ou 15 jeux de hasard différents et ils sont la cause de problèmes majeurs chez 2,1 % (selon les études de 1996)[21] de la population. C'est pourtant l'impression que l'on a lorsqu'on lit la revue de l'année de Loto-Québec dans son rapport annuel 2000-2001. Ainsi, à la page 17, consacrée aux loteries vidéo, Loto-Québec déclare: « [...] la tournée vise à aider les détaillants à reconnaître plus facilement les véritables (y en aurait-il des faux?) joueurs pathologiques, soit ces quelque 2,1 % de la population [...] ». J'ai l'impression que l'on essaie ici de banaliser l'impact des appareils de loterie vidéo. Loto-Québec sait très bien que parmi les jeux de hasard certains sont pratiquement inoffensifs, comme le 6/49 ou les bingos, alors que d'autres, par contre, je parle ici des appareils de loterie vidéo, sont pareils à du vitriol. Selon une recherche récente, dans la région de Montréal, 30 % des joueurs réguliers de loterie vidéo sont des joueurs problématiques ou compulsifs[22]. Comme on peut le constater, le problème majeur est causé par ces mêmes appareils. Aussi, Loto-Québec devrait plutôt donner l'heure juste à ses détaillants qui ont dans leur établissement des appareils de loterie vidéo et leur dire, si elle veut vraiment que ces derniers aident les joueurs compulsifs: « Voilà: 30 % des joueurs réguliers qui s'assoient devant un appareil de loterie vidéo dans votre établissement sont des joueurs problématiques ou compulsifs. »

Dans les années 1970, personne ne se préoccupait des problèmes de jeu compulsif. Faut dire que la Mini, l'Inter ou la Super-Loto n'étaient pas vraiment des jeux dangereux. En 1991, soit avant l'ouverture des casinos et la venue des appareils de loterie vidéo, les joueurs pathologiques représentaient 1,2 % de la population adulte du Québec[23]. Sans doute qu'à l'époque, c'étaient les courses de chevaux, beaucoup plus que l'Inter-Loto, qui étaient responsables du jeu pathologique. En 1996, soit trois ans après l'ouverture du Casino de Montréal et moins de deux ans après l'implantation des appareils de loterie vidéo, le pourcentage de joueurs pathologiques avait presque doublé, passant à 2,1 %.

À une question d'une journaliste relative à la pertinence qu'une société d'État gère les jeux de hasard et d'argent, les rendant peut-être ainsi plus accessibles à des gens qui autrement n'auraient jamais joué, un chercheur universitaire a répondu: « Doit-on brimer 98 % de la population pour en protéger 2 % ? » (soit le pourcentage de joueurs compulsifs dans la population)[24]. Il faudrait discerner un peu et être un peu plus rigoureux. Tout d'abord, ce n'est pas 100 % de la population québécoise qui est adepte des jeux de hasard sous quelque forme qu'ils soient, mais bien 65 %[25]. Il ne faut pas confondre marché potentiel et marché réel. De plus, la grande majorité des adultes qui sont des consommateurs de jeux de hasard se limitent aux loteries traditionnelles (6/49, Mini, Super 7, etc.) qui créent le moins de dépendance. Les appareils de loterie vidéo, qui sont les plus dangereux des jeux de hasard, rejoignent environ 8 % de la population adulte[26]. Ce qui veut dire, par exemple, que si le gouvernement décidait de bannir les appareils de loterie vidéo et retirait du marché ses 15 251 appareils, ce n'est que 8 % de la population, soit les joueurs réguliers aux loteries vidéo, qui seraient lésés. Affirmer que 98 % de la population serait brimée, c'est tourner les coins bien ronds.

Mais, et c'est là le dilemme, les joueurs compulsifs, même s'ils ne représentent que 2,1 % de la population adulte (en 1996), rapportent gros, très gros à Loto-Québec. Une étude australienne – c'est la plus récente et la plus complète en ce moment – nous révèle que le tiers des revenus des jeux de hasard proviennent de 2,1 % des joueurs, soit les joueurs compulsifs[27]. Si nous transposons ces chiffres pour le Québec, les joueurs compulsifs auraient contribué pour le tiers des revenus de Loto-Québec dans l'exercice 2000-2001, soit 1,2 milliards de dollar, les revenus ayant été de 3,6 milliards. Cela représente 86 % du bénéfice net du dernier exercice financier de Loto-Québec.

Question : Loto-Québec et le gouvernement du Québec sont-ils prêts à sacrifier plus de 1,2 milliard de dollars de revenus annuellement ?

Plusieurs diront, chiffres à l'appui, que Loto-Québec rapporte beaucoup d'argent au gouvernement, que c'est une véritable poule aux œufs d'or. C'est vrai, chaque nouveau jeu de hasard qu'elle pond fait grimper le chiffre d'affaires de la société d'État. Mais la plupart de ces œufs renferment un monstre très vorace qui propage une maladie qui fait de plus en plus de victimes dans la population. Cette maladie, c'est le jeu compulsif, qui comptait, en 1996, 117 500 victimes au Québec, soit 2,1 % de la population adulte. Mais depuis 1996, les données ont changé: les revenus des appareils de loterie vidéo ont plus que doublé, passant de 466 millions (1996) à 1 053 milliards (2000)[28]. Il n'y a pas d'études récentes quant au nombre réel de joueurs compulsifs au Québec, il faut donc extrapoler à partir des informations qui sont accessibles. Les derniers chiffres disponibles pour le jeu compulsif le sont pour les adolescents québécois. En 1994, 4,7 % d'entre eux étaient considérés comme joueurs pathologiques. La dernière étude réalisée évalue maintenant à 6,5 %[29] le nombre de joueurs pathologiques chez les adolescents, soit une croissance de 38,3 % par rapport à 1994.

Cette même croissance (38,3 %) reportée à la population adulte indiquerait que les joueurs pathologiques représentent maintenant 2,9 %* de la population, soit 165 300 personnes (en l'an 2000, la population adulte québécoise était estimée à 5,7 millions de personnes). Ce n'est pas encore épidémique, mais rien n'indique que cette maladie ait atteint son seuil de maturité. Et qu'arrivera-t-il des adolescents joueurs compulsifs lorsqu'ils arriveront sur le marché du travail et auront ainsi plus facilement accès au crédit et à l'argent?

---

* 2,1 % x 1,383 % = 2,9 %

Je ne veux pas être un prophète de malheur, mais le nombre de drames humains causés par le jeu n'ira pas en diminuant, au contraire, à moins que le gouvernement n'intervienne sérieusement pour mieux contrôler l'appétit insatiable de Loto-Québec.

Loto-Québec verse chaque année plus d'un milliard de dollars en dividendes au gouvernement, mais ces dividendes coûtent très cher à la société québécoise, trop cher. Pour chaque dollar de profit venant des casinos ou de l'exploitation des appareils de loterie vidéo, il y a possibilité qu'un drame humain se cache derrière.

Plusieurs chercheurs se sont penchés sur les coûts sociaux associés aux jeux de hasard pour essayer de les chiffrer. Selon une étude américaine, le coût des problèmes des joueurs compulsifs s'élèverait à 13 200 $[30] par joueur par année. Une autre étude de l'Université du Manitoba parle plutôt de 56 000 $ par année[31]. La plus récente recherche a été effectuée par une commission australienne qui avait le mandat d'étudier toutes les répercussions des jeux de hasard dans ce pays. L'un des chapitres de son volumineux rapport est consacré aux coûts sociaux reliés aux jeux de hasard. Pour ce faire, la commission a évalué les coûts, directs et indirects, associés aux joueurs compulsifs, sans toutefois tenir compte des pertes monétaires des joueurs. La commission en arrive à un estimé variant entre 6 000 $ et 19 000 $ par année par joueur compulsif[32]. Comme base de calcul pour le Québec, si nous utilisons les coûts annuels de 13 200 $, nous obtenons un coût de 2 milliards de dollars** par année, soit plus que ce que

** (5 700 000 adultes x 2.9 % x 13 200 $)

rapporte Loto-Québec. Nous verrons plus loin que cette somme n'est pas exagérée.

Mais le gouvernement préfère garder sa tête dans le sable et encaisser. Les casinos créent des emplois ? Oui, c'est vrai. Au Canada, 35 000 emplois directs ont été créés par les casinos, mais selon certains chercheurs, à chaque nouvel emploi créé par un casino il y en a un qui se perd[33].

Vous voulez connaître un des impacts de la légalisation des casinos et des appareils de loterie vidéo dans la population ? Regardez autour de vous l'augmentation depuis quelques années des boutiques de prêteurs sur gages. Elles prolifèrent. 5%[34] de la population ferait affaire avec ces boutiques qui pratiquent des taux qui frôlent l'usure.

À Montréal en 1994, il y avait environ 50 commerces de prêt sur gage, Cinq ans plus tard, en début de 1999, il y en avait plus de 200[35] ! Là aussi on a créé des emplois.

Loto-Québec, afin de s'assurer de poursuivre sa croissance et d'être la société d'État la plus rentable au Québec, consacre beaucoup d'argent pour promouvoir ses produits, soit 20 millions de dollars par année. Sur son site Internet, elle se targue même d'être la société de loteries qui met sur le marché le plus large éventail de produits au monde !

L'objectif d'une campagne publicitaire est de faire connaître un produit et d'en augmenter les ventes, entre autres en allant chercher de nouveaux clients, que ce produit soit du savon, des hamburgers ou des billets de loterie instantanée. En général, une campagne publicitaire bien ciblée réussit à atteindre ses objectifs. C'est pour cela que le gouvernement fédéral a interdit depuis de nombreuses années toute publicité sur le tabac et a encadré sévèrement la publicité sur l'alcool. Cependant, pour les jeux de hasard, il fit exactement le contraire et amenda le code criminel en 1975 pour permettre la publicité dans le domaine des loteries. Sous prétexte peut-être que les jeux de hasard relèvent des gouvernements provinciaux et que ceux-ci exerceront un contrôle sur leur société d'État, les obligeant à une certaine retenue, le fédéral n'a mis aucune condition. Mais au lieu d'y aller avec circonspection, les sociétés d'État s'en donnent à cœur joie et multiplient les campagnes publicitaires, lançant de nouveaux produits, généralement des loteries instantanées, à tous les mois ou presque, et ce, pour augmenter leurs ventes, c'est-à-dire inciter les consommateurs à dépenser davantage leur argent dans le rêve. Les messages télévisés sont toujours très aguichants, on ne lésine pas sur les coûts de production. S'ils augmentent la vente de billets de loterie, ces messages publicitaires font également gonfler le nombre de joueurs compulsifs et causent de plus en plus de torts à la société.

Mais les campagnes publicitaires ne suffisent pas à la boulimique société d'État qui, pour être certaine de ne pas laisser échapper un seul acheteur potentiel, utilise les employés des dépanneurs comme vendeurs de ses produits. Vous entrez dans un dépanneur pour vous procurer un litre de lait ou un pain et le commis au comptoir vous propose immanquablement un gratteux ou un 6/49. C'est ce qu'on appelle du marketing agressif. Si en lieu et place de billets de loterie on vous proposait de vous procurer des cigarettes ou de la bière, il y aurait une levée de boucliers, ce serait un scandale. Pourquoi le tolère-t-on pour les jeux de hasard qui peuvent aussi créer une dépendance ? Où s'arrêtera la compulsive société d'État ?

De plus, il serait peut-être opportun que le gouvernement s'interroge sur la nocivité pour la population, les adolescents surtout, des campagnes publicitaires de Loto-Québec, dont le message est d'encourager le consommateur à dépenser son argent dans les jeux de hasard, pour avoir une chance de devenir riche, de se libérer de son travail. Je ne suis pas sociologue, mais n'y a-t-il pas là une forme de dévalorisation du travail pour gagner sa vie? Pourquoi faire des efforts, pourquoi travailler dur alors que le million est à portée de la main? À en croire les messages publicitaires, c'est tellement facile de gagner à la loterie. C'est gros ce que je dis? Je n'en suis pas sûr. La campagne publicitaire «Bye Bye Boss» est un bon exemple de ce que j'avance, comme si tout le monde n'avait qu'un désir, arrêter de travailler. Félix Leclerc doit se retourner dans sa tombe, lui qui a écrit que la meilleure façon de tuer un homme c'était de l'empêcher de travailler!*

Plus tôt, j'ai parlé des coûts sociaux évalués à 13 200$ par année par joueur pathologique aux États-Unis. Est-ce exagéré? Je ne crois pas. Allons voir de plus près.

Pour commencer, il y a les coûts reliés à la famille. Plusieurs recherches ont démontré que les conjoints, les enfants et les parents des joueurs compulsifs étaient aussi des victimes du jeu. Les conjoints et les enfants sont plus susceptibles de faire des dépressions nerveuses, de devenir alcooliques et de tenter de se suicider. Chez les enfants, en plus, les résultats scolaires sont affectés. Dans certains cas, conjoint et enfants auront besoin de soins psychologiques et seront sous médication.

Il y a ensuite les coûts reliés à l'emploi. Une recherche québécoise menée auprès d'un groupe de joueurs compulsifs a démontré que parmi ce groupe, 66% avaient manqué des

* 100 000 façons de tuer un homme; paroles et musique: Félix Leclerc.

heures de travail à cause du jeu, 37 % avaient volé des sommes d'argent à leur employeur et 36 % avaient perdu leur emploi[36].

Il y a aussi les coûts reliés à la société : la même recherche québécoise citée plus haut indiquait que 20 % des joueurs compulsifs avaient commis un vol pour s'adonner au jeu et que 17 % avaient commis des vols à l'étalage. Huit pour cent avaient été condamnés à la prison. Enfin, 28 % avaient déclaré faillite pour des montants allant jusqu'à 150 000 $. Comme on le sait, lors d'une faillite, les créanciers perdent de l'argent. Cet argent perdu ne retournera jamais dans l'économie.

Il est difficile de mettre un montant précis à tous ces coûts directs engendrés par le comportement des joueurs compulsifs, mais rappelons-nous qu'il y a présentement au moins 117 500 joueurs compulsifs au Québec. De plus, il y a les coûts indirects. Que dire du manque à gagner causé par le changement de direction professionnelle des joueurs compulsifs ? Prenons comme exemple Trevor Vineberg, 25 ans, qui était un brillant jeune entrepreneur, plein d'enthousiasme et confiant en l'avenir avant d'engloutir 100 000 $ en 4 ans dans les appareils de loterie vidéo. Découragé et incapable de s'en sortir, il décida de s'enlever la vie. Cet argent, avant de découvrir les appareils de loterie vidéo, Trevor le destinait à un projet qu'il caressait depuis longtemps, soit celui d'exploiter une auberge de campagne. Il étudiait pour cela. Une auberge qui aurait donné du travail à d'autres personnes, aurait payé des taxes aux gouvernements, et aurait été un plus pour l'économie régionale. À combien estimer cette perte ? 10 fois, 20 fois, 100 fois ce que Trevor a « investi » dans les vidéopokers ! Il faudrait un actuaire pour calculer tout ce manque à gagner étalé sur une période de 50 ans. Et comment évaluer la perte pour la société de toutes ces victimes qui se sont enlevé la vie à cause de problèmes dus au jeu?

Enfin, est-ce que les millions de dollars que les joueurs compulsifs retirent de leurs épargnes chaque année pour alimenter les appareils de loterie vidéo et autres jeux de hasard sont un bon investissement pour l'économie québécoise? Poser la question, c'est y répondre. Non, je ne crois pas qu'estimer le coût social annuel d'un joueur pathologique à 13 200$ soit exagéré, loin de là.

17

Le fruit pourri de la corne d'abondance

S'il y a peu d'études scientifiques pour départager les joueurs compulsifs entre les différents types de jeux de hasard, il n'en demeure pas moins que les statistiques et les informations actuellement disponibles indiquent clairement que la majorité d'entre eux se trouvent parmi les joueurs d'appareils de loterie vidéo. Ainsi, au Québec, pour l'exercice 1999-2000, 83 % des appels reçus à la ligne téléphonique Jeu: Aide et référence concernaient des problèmes liés aux appareils de loterie vidéo[37]. À la Maison Claude Bilodeau, un centre de thérapie pour joueurs compulsifs, 91 % des personnes qui y ont séjourné depuis son ouverture en 1999 étaient des joueurs d'appareils de loterie vidéo. C'est vrai au Québec, et c'est également vrai ailleurs au Canada et partout dans le monde où il y a des appareils de loterie vidéo. Ainsi, au Manitoba, près de 92 % des joueurs compulsifs qui ont cherché de l'aide auprès de la Fondation manitobaine de lutte contre les dépendances étaient des joueurs de loterie vidéo. Enfin, triste statistique, la grande majorité des suicides causés par des problèmes de jeu au Québec sont reliés à ces appareils.

Les appareils de loterie vidéo exercent auprès d'un segment très important des joueurs un magnétisme tel qu'il leur fait perdre totalement le contrôle. Rappelons-le, 30 % des joueurs réguliers de loterie vidéo sont des joueurs problématiques ou compulsifs. Lors de mes rencontres avec des ex-victimes de ces télévisions du Diable, comme certains les appellent, ces dernières m'ont parlé de leur comportement complètement déviant de ce qu'il était avant. Elles ne comprenaient pas ce qui leur était arrivé, elles ne se reconnaissaient plus. Toutes étaient comme hypnotisées, sous le joug d'un quelconque pouvoir maléfique qui contrôlait leur volonté et leurs gestes. Cela me faisait penser à un roman de Stephen King où des citoyens responsables d'une petite ville étaient ensorcelés et allaient jusqu'à commettre des actes criminels*.

Mais contrairement au roman de Stephen King, les joueurs compulsifs n'ont aucune relâche, la loterie vidéo étant devenue une obsession qui les tient 24 heures par jour. Il ne s'agit pas non plus de personnages créés par un romancier à l'imagination fertile, mais bien des hommes et des femmes vivant dans notre société.

Ceux qui ont témoigné ont dit que rien d'autre n'avait de l'importance. Tous avaient adopté des comportements étranges lorsqu'ils étaient devant un appareil de loterie vidéo.

---

* *Bazaar*, de Stephen King, Éditions Albin Michel.

La majorité parlaient à leur machine, la cajolaient, l'engueulaient. Certains changeaient de main et de doigts pour appuyer sur le bouton croyant que la machine ne les reconnaîtrait pas ! Des comportements bizarres mais inoffensifs. D'autres comportements étaient par contre plus sérieux, comme ces mères de famille qui ont avoué laisser leurs jeunes adolescents à la maison sans surveillance pour aller au restobar le plus proche, l'attirance des loteries vidéo étant plus forte que tout. Ou ces hommes qui pigeaient dans la tirelire de leurs enfants pour aller jouer aux loteries vidéo. Ou encore tous ces joueurs qui y dépensaient leur paie, semaine après semaine.

Un joueur a avoué s'être égratigné le visage après avoir perdu sa paie aux loteries vidéo afin de faire croire à sa conjointe qu'il avait été victime d'une agression. Un autre joueur m'a dit un jour : « Le vidéo-poker, c'est la machine qui rend fou. » Pour les proches des victimes qui se sont donné la mort, il s'agit plutôt de machines qui tuent.

Au Québec, les premiers appareils de loterie vidéo furent installés en juin 1994, mais ce n'est que depuis 1999 que l'on entend parler des drames humains dont ils sont la cause. Est-ce à dire qu'au cours des premières années, ils étaient inoffensifs ? Pas tout à fait, on dénombra les premières victimes dès 1995, mais il s'agissait de premières victimes justement, donc on croyait qu'il s'agissait de cas isolés. De plus, les appareils de loterie vidéo étaient un nouveau produit pour la majorité des gens. Comme pour tout nouveau produit, ils devaient suivre ce qu'on appelle la courbe de vie du produit. Durant la période du lancement et au début de sa croissance, ce ne sont pas tous les consommateurs intéressés qui essaieront un nouveau produit dès sa mise en marché, l'introduction se faisant graduellement. Pour son premier exercice financier, qui comptait neuf mois d'exploitation, la Société des loteries vidéo du Québec, la filiale de Loto-Québec qui exploite ce segment de marché, a déclaré des revenus de seulement 59,6 millions de dollars[38].

Très vite, ce nouveau jeu de hasard gagna en popularité. Pour la deuxième année d'exploitation, les revenus de la Société des loteries vidéo du Québec furent de 310,5 millions de dollars et le nombre d'appareils en activité était passé de 6 809 à 14 644. Par la suite, l'augmentation des ventes se poursuivit à une folle allure.

Rendement des appareils de loterie vidéo au Québec[39]

Année	Revenus en milliers - Croissance	Nombre de sites	Nombre d'appareils	Total des revenus par appareil
1995-96	310 567 $ -	4 242	14 644	21 207 $
1996-97	466 280 $ - 50,1 %	4 370	15 065	30 951 $
1997-98	585 400 $ - 25,5 %	4 193	15 266	38 347 $
1998-99	768 000 $ - 31,2 %	4 175	15 314	50 150 $
1999-00	926 407 $ - 20,6 %	4 141	15 221	60 864 $
2000-01	1 053 000 $ - 13,7 %	4 085	15 251	69 045 $

La Société des loteries vidéo du Québec, qui n'existe que depuis 7 ans, contribue maintenant pour 45,5 % au bénéfice net de Loto-Québec[40], qui fêtait en 2001 son trentième anniversaire.

Une autre raison peut aussi expliquer cette apparente période d'accalmie entre 1994 et 1999, soit la situation financière des joueurs compulsifs. Ces joueurs avaient des économies, des placements, une marge de crédit à la banque ou sur leurs cartes de crédit. Il a pu être possible pour un joueur compulsif de jouer plusieurs mois, voire quelques années sans que le drame qu'il vivait soit apparent. Pendant que le cancer du jeu rongeait ses économies et sa santé, rien ne laissait paraître qu'il était devenu une victime. Enfin, on ne devient pas nécessairement joueur compulsif du jour au lendemain, il y a des étapes à franchir.

Mais cette augmentation fulgurante des revenus provenant des appareils de loterie vidéo est inquiétante. En 6 ans, même si le nombre d'appareils n'a pratiquement pas changé – de 14 644 appareils en 1995-1996 à 15 251 appareils en 2000-2001 –, les revenus, eux, ont plus que triplé, passant de 310,6 millions à 1 053 milliard. Cette hausse fulgurante n'est pas due à l'augmentation de l'offre puisque le nombre de points de vente et le nombre d'appareils en activité ont été stables au cours de cette période. Si alors le nombre d'appareils n'a pas bougé, est-ce que la demande, c'est-à-dire le nombre de joueurs, a triplé en six ans ? Pas vraiment. Loto-Québec, dans son étude sur le profil du consommateur réalisée en mars 1995, révélait que 5 % de la population avaient « mis des piécettes dans les appareils de loterie vidéo au cours de la dernière année[41]. » Mais au cours de la première année d'exploitation (1994-1995), le réseau de distribution n'était complété qu'à 64 % des points de vente, et 6 809 appareils, soit moins de la moitié de celui des années subséquentes, étaient en activité. La même étude pour l'exercice 1999-2000 révèle que 8 % des consommateurs avaient joué aux appareils de loterie vidéo au cours des derniers 3 mois[42]. Le réseau comprenait alors 4 141 points de vente et 15 261 appareils. Ce qui veut dire que la croissance des revenus nets de 21 207 $ par appareil par année à 69 045 $

par appareil par année est attribuable presque exclusivement à l'augmentation des mises par les joueurs. Rappelons qu'au Québec le secteur des loteries vidéo a rapporté des revenus de 1 053 milliard de dollars en 2000-2001. En 6 ans, Loto-Québec est ainsi allée chercher plus de 4 milliards de dollars* dans les poches d'à peu près 8 % de la population adulte.

Quelle est la stratégie qu'a utilisée Loto-Québec pour atteindre cette croissance remarquable ? Elle a tout simplement étudié le comportement des joueurs réguliers et misé sur leurs faiblesses pour les inciter à consommer encore davantage.

Quelles sont les caractéristiques du joueur compulsif ? Il aime croire qu'il peut influencer les résultats par son adresse et qu'il peut maîtriser le hasard. Alors, on lui donne l'illusion qu'il peut contrôler l'appareil en décidant du moment précis où les cylindres arrêteront de tourner. On lui laisse croire ainsi qu'il a son mot à dire dans les résultats alors qu'il n'en est rien. Dès qu'il a appuyé sur le bouton de départ, le résultat de la partie est déjà décidé, peu importe combien de temps tourneront les cylindres. Ne serait-ce pas là de la fausse représentation ?

Afin de garder le plus longtemps possible le client devant l'appareil, on lui offrira un choix multiple de jeux. Le joueur n'est pas chanceux au poker ? Pas de problème, il y a les Sept en folie, les Fruits gagnants, les Lingots d'or, etc. Parmi ces jeux, il y en a sûrement un qui est *hot*, se dira le joueur, il s'agit de le trouver en continuant à jouer.

Les recherches indiquent que les joueurs compulsifs aiment la rapidité ? Tiens, tiens, faisons rouler les appareils de

---

* Il s'agit de revenus partagés entre Loto-Québec et les détaillants.

loterie vidéo au maximum. Une partie se joue en deux secondes, contre trois secondes pour une machine à sous au Casino de Montréal. Encore plus vite ? Pas de problème, ne perdons pas de temps avec les pièces de monnaie que le joueur doit insérer une à une dans l'appareil. Permettons-lui d'insérer des billets de 5 $, 10 $ et même 20 $*. Ainsi, il n'aura pas à décider à tout bout de champ s'il serait plus sage pour lui de partir ou de continuer à jouer, pour le plus grand plaisir de l'établissement qui empochera 26 % de ses pertes et de Loto-Québec qui aura le reste. De plus, en insérant de gros billets, le joueur aura beaucoup de crédits affichés, qui lui donneront ainsi l'illusion qu'il est au-dessus de ses affaires, ce qui pourra l'influencer à jouer chaque partie au maximum des crédits permis.

En Australie aussi, on a installé des « accepteurs » de billets de banque. Résultat : 62 % des joueurs compulsifs utilisent ce service souvent ou toujours, comparé à 22 % pour les joueurs récréatifs. La majorité des joueurs récréatifs n'a donc pas mordu à l'hameçon, préférant continuer à jouer avec des pièces de monnaies[43].

Les joueurs aiment le risque et sentir l'adrénaline monter en eux ? Offrons-leur la possibilité de doubler leur gain (ou de le perdre) après une partie gagnante. S'ils gagnent, continuons à les défier en leur permettant encore de doubler leur nouveau gain et ainsi de suite jusqu'à ce qu'ils le perdent, ou qu'ils s'arrêtent.

---

* En 1998, Loto-Québec a installé des « accepteurs » de billets de banque dans ses 15 000 appareils de loterie vidéo afin entre autres d'augmenter la rentabilité « en maximisant le rendement des appareils » – Rapport annuel 1998-99. Cette stratégie a donné d'excellents résultats, puisque les ventes ont fait un bond de 31 %.

Les propriétaires des établissements licenciés ont vite appris de l'université Loto-Québec. Ils ont compris que plus le client restait soudé à sa machine, plus il avait des chances de perdre. Petit problème cependant, lorsque le client n'avait plus d'argent il devait quitter l'établissement pour aller au guichet automatique de la succursale bancaire la plus proche. Certains clients, une fois sortis du bar, avaient un moment de lucidité et changeaient d'idée, préférant rentrer à la maison au lieu de prendre le chemin de la banque. Que faire pour ramener ces brebis égarées dans le droit chemin ? Simple, faire comme le casino et installer un guichet automatique sur place, dans le bar. Un guichet automatique dont les frais de service sont plus élevés que ceux des casinos, puisqu'il est exploité par un tiers (dans les casinos, ce sont les institutions financières qui le font), mais qu'importe, c'est le client qui paie, après tout... Pendant que le client insère sa carte de débit ou de crédit dans le guichet automatique avec sa main droite, il peut continuer à jouer avec sa main gauche. Ne nous arrêtons surtout pas à penser aux conséquences pour sa vie et pour sa famille.

Plus les clients jouent, meilleures sont les chances de conserver nos appareils, voire d'en ajouter, car les détaillants aussi sont soumis à la pression du dépositaire qui pourra lui enlever un ou plusieurs appareils de loterie vidéo si les revenus hebdomadaires de son établissement sont sous la moyenne de la région. Si c'est le cas, le dépositaire lui octroiera un délai de 10 semaines pour remédier à la situation, lui suggérant des trucs de marketing pour augmenter l'achalandage à ses appareils : les déplacer pour qu'ils soient plus à la vue, offrir des consommations et des sandwichs gratuits, etc.

Le dépositaire nous répondra qu'il est soumis aux pressions de la Société des loteries vidéo du Québec, qui elle est soumise aux pressions de Loto-Québec, qui elle est soumise aux pressions... aux pressions de qui, au fait?

Question: Quelle sera la prochaine astuce de Loto-Québec pour presser davantage le citron?

Cette même étude de Loto-Québec sur le profil des consommateurs de 1999 nous apprend également que 20 % des joueurs aux appareils de loterie vidéo ont déclaré jouer plusieurs fois par semaine, soit 91 200 personnes. Si nous appliquons ici la loi économique de Pareto, qui est universellement connue (Pareto a démontré que 80 % des revenus d'une entreprise proviennent de 20 % de la clientèle), les 91 200 joueurs réguliers ont perdu au cours de la dernière année la somme de 842,2 millions de dollars dans les appareils de loterie vidéo, soit, pour ceux qui aiment les moyennes, 9 235 $ par joueur.

Contrairement aux autres toxicomanies où la victime s'arrête après avoir injecté sa dose de drogue ou après avoir vidé sa bouteille de scotch, le joueur compulsif n'arrêtera pas, jouant tant qu'il aura de l'argent, soit pendant des périodes de 8, 10, 15 heures d'affilée, parfois plus longtemps. Et le jeu compulsif n'est pas une maladie qui disparaît lorsque la victime n'a plus d'argent pour continuer à jouer. Le besoin demeure et après avoir épuisé toutes les sources légales pour obtenir de l'argent, le joueur compulsif sera tenté de se tourner vers la fraude, le vol et autres détournements de fonds pour continuer à nourrir la bête, et c'est là que son drame éclatera au grand jour. Ce qui veut dire, je le crains, que les drames humains causés par les appareils de loterie vidéo, que nous relatent les médias depuis deux ans, ne sont que la pointe de l'iceberg. Un iceberg qui émergera encore au cours des prochaines années. Ne l'oublions pas, deux joueurs compulsifs sur trois commettront un acte illégal pour se procurer de l'argent et c'est aux appareils de loterie vidéo que l'on compte le plus grand nombre de joueurs compulsifs.

Question : Quelle fraction des 4 milliards de dollars de revenus (depuis six ans) de Loto-Québec et des détaillants de loterie vidéo, provient d'actes illégaux commis par des joueurs compulsifs ?

La légalisation des appareils de loterie vidéo qui sont installés partout au Québec – pas la moindre petite localité n'est à l'abri – a été une très grave erreur. C'est triste de se promener à travers la province et de voir dans chaque ville, chaque village, des minicasinos. Ce n'est pas le touriste de passage qui y perd ses économies mais les gens de la place et, plus souvent qu'autrement, les plus faibles économiquement. Combien de drames familiaux inexpliqués sont causés par ces machines ? La Caroline du Sud, qui, à ce que je sache, n'est pas un État social-démocrate comme se dit l'être le Québec, et n'est pas non plus l'État le plus riche de l'Union, n'a pas hésité à faire bannir les 32 000 appareils de loterie vidéo, renonçant ainsi à une industrie générant 3 milliards de dollars de revenus par année, constatant que ces appareils causaient plus de torts à la société que tout l'argent qu'ils pouvaient rapporter[44].

Les autorités allèguent qu'avant la prise en charge par Loto-Québec des appareils de loterie vidéo, il y en avait 50 000 installés illégalement au Québec. (En Ontario, les autorités ont utilisé le même argument, mais elles parlaient de 15 000 appareils illégaux). Permettez-moi d'en douter. Présentement, il y a 15 000 appareils de loterie vidéo, et on en voit partout ! Où étaient-ils, ces 50 000 appareils illégaux ? Dans les quelque 10 000 établissements licenciés ? Cela voudrait dire que chaque établissement avait en moyenne cinq appareils illégaux et que tous les propriétaires de ces établissements auraient enfreint la loi ! Quant aux dépanneurs, la majorité sont des bannières de grandes entreprises. Je ne crois pas que les franchiseurs auraient toléré l'installation de vidéo-pokers illégaux chez l'un de leurs franchisés. Et que l'on ne vienne pas me dire que si ce n'est pas le gouvernement, c'est le crime organisé qui installera des appareils de loterie vidéo dans les bars. Si c'est illégal, chacun des propriétaires de bar devra respecter la loi. C'est aberrant que des porte-parole de la Société des loteries vidéo utilisent un tel argument.

Loto-Québec devrait réaliser que les loteries vidéo sont le fruit pourri de sa corne d'abondance. Ces appareils contaminent ses autres produits, salissent son image. Leur croissance se fait non seulement en provoquant des drames humains mais également au détriment des autres produits de Loto-Québec qui sont, nous l'avons vu, beaucoup moins dommageables pour la société. Ainsi en six ans, les ventes des loteries actives (sur terminal, par exemple la 6/49) ont fait du sur place avec une maigre croissance de 3,5 % et les loteries traditionnelles ont subi une chute de 40 % de leurs revenus[45]. Drames humains, cannibalisme parmi ses autres produits, mauvaise presse, que faut-il de plus à Loto-Québec pour contrôler et circonscrire son monstre ?

18

Des solutions pour limiter les dégâts

Il existe des mesures faciles d'application et pas trop onéreuses que le gouvernement pourrait adopter dès maintenant pour contenir l'augmentation du nombre de joueurs compulsifs. Je me permets ici d'en suggérer quelques-unes.

Premièrement, le gouvernement devrait interdire toute forme de publicité promouvant les jeux de hasard. En agissant ainsi, il ferait d'une pierre deux coups : il limiterait les dégâts sociaux causés par les jeux de hasard et économiserait 20 millions de dollars, soit le budget annuel de Loto-Québec pour ses campagnes publicitaires.

En plus d'interdire toute forme de publicité pour les jeux de hasard, le gouvernement devrait prendre exemple des campagnes antitabac et de celles contre l'ivresse au volant et faire produire et diffuser des messages-chocs où des comédiens personnifieraient d'ex-joueurs qui témoigneraient de ce que le jeu leur a fait perdre. Ces messages auraient une plus grande influence sur les joueurs et les adolescents que les messages sobres actuels dont le slogan est pour que le jeu reste un jeu. Les gourous de Loto-Québec devraient pourtant savoir que, lorsqu'il s'agit d'argent, ce n'est plus un jeu, c'est tout sauf un jeu.

Les appareils de loterie vidéo

Il est utopique de penser que les appareils de loterie vidéo disparaîtront bientôt du Québec. Mais cela arrivera un jour, j'en suis convaincu, car les dégâts sociaux qu'ils causent ne feront qu'empirer et le gouvernement verra lui aussi finalement un jour sa lumière rouge. Rappelons que la grande majorité des joueurs compulsifs sont dépendants des appareils de loterie vidéo. Mais d'ici là et à défaut de les éliminer complètement, il est raisonnable de vouloir en restreindre l'accessibilité et la publicité. Le gouvernement a commencé à bouger en ce sens et a pris quelques mesures pour mieux contenir l'appétit de Loto-Québec. C'est tant mieux. Parmi ces mesures, il y a l'établissement de normes sur l'affichage extérieur, domaine où certains propriétaires de bar y allaient joyeusement, s'identifiant même comme de vrais casinos ! Mais il y a encore beaucoup à faire si nous voulons vraiment maintenir le nombre de joueurs compulsifs au Québec à un niveau acceptable et surtout diminuer les drames humains causés par le jeu. Une première suggestion serait de tenir un référendum sur ce que désire vraiment la population à leur sujet, maintenir le *statu quo*, les rendre moins accessibles ou bien les retirer carrément du marché. Le gouvernement devrait tenir compte des résultats, dans chaque localité. Si une ville ou un village votait contre les appareils de loterie vidéo, on les retirerait. En interdisant, même localement, là où la population l'exige, les appareils de loterie vidéo, le gouvernement réparerait un peu le tort social qu'il a causé. Jusqu'à présent, les municipalités n'ont pas le pouvoir d'interdire les appareils de loterie vidéo sur leur territoire. Il est vrai que la population du Nouveau-Brunswick a décidé par référendum, le 14 mai 2001, de maintenir la légalisation des appareils de loterie vidéo, mais les résultats furent très serrés : 53 % contre 47 %, et les tenants du maintien des appareils de loterie vidéo n'avaient pas d'adversaires organisés, ils ont mené une campagne en solo[46].

À défaut d'un référendum, pourquoi ne pas suivre l'exemple de l'Ontario et concentrer les appareils de loterie vidéo dans des endroits plus appropriés pour le jeu ? Dans cette province, à la suite des pressions des municipalités, 150 d'entre elles votèrent une résolution refusant l'installation de ces appareils dans leur ville, le gouvernement décida alors de concentrer les machines à sous dans les 18 hippodromes, et 6 casinos de la province. Au Québec nous n'avons que 3 hippodromes, mais nous avons 19 hippoclubs répartis sur le territoire. En relocalisant les appareils de loterie vidéo dans ces 22 endroits, le gouvernement ramènerait le ratio point de service/population à un niveau plus acceptable. Présentement, au Québec, ce ratio est 1 point de service par 1 805 habitants – rappelons qu'il y a présentement 4 085 points de service. À titre de comparaison en Ontario, ce ratio est de 1 point de service par 555 683 habitants. D'ailleurs, 69 % des Québécois estiment que les appareils de loterie vidéo devraient être localisés uniquement dans les casinos et les hippodromes[47].

En agissant ainsi, on règlerait une grande partie du problème car l'une des raisons de la grande popularité des appareils de loterie vidéo est leur facilité d'accès : il y en a partout !

Le *statu quo* est inacceptable, les appareils de loterie vidéo font trop de victimes pour laisser la situation telle qu'elle est. Si le gouvernement désire quand même laisser à l'entreprise privée l'exploitation du parc des quelque 15 000 appareils de loterie vidéo, et maintenir le réseau actuel des franchisés, il doit s'assurer que les mêmes règles qui s'appliquent à l'intérieur des casinos s'appliquent également dans les quelque 4 000 établissements.

Alors qu'à l'intérieur des trois casinos qu'elle gère, Loto-Québec a un contrôle total de tout ce qui s'y passe (les plafonds sont truffés de caméras vidéo qui filment tout, absolument tout ; il est possible de suivre un client pas à pas de son entrée à sa sortie du casino), la société d'État ne sait pas du tout ce qui se passe dans les établissements licenciés. Le seul contrôle direct que Loto-Québec exerce sur les franchisés, c'est celui de les débrancher le mercredi matin si ces derniers n'ont pas fait leur remise hebdomadaire. Pour le reste, elle doit se fier à la bonne foi des franchisés.

La consommation d'alcool est interdite dans les aires de jeu des casinos, l'alcool et le jeu ne faisant pas bon ménage. Pourtant, dans les établissements licenciés, il est permis de consommer de l'alcool tout en jouant aux appareils de loterie vidéo. Serait-ce moins dangereux dans ces endroits ? Certaines des victimes qui se sont donné la mort ont été vues, quelques heures précédant leur geste fatal, dans des bars, jouant aux appareils de loterie vidéo en état d'ébriété avancée.

Loto-Québec interdit avec raison à son personnel de jouer dans ses casinos, et la même interdiction prévaut pour le personnel des établissements franchisés. Pourtant, des propriétaires et des employés jouent dans les appareils de loterie vidéo de leur établissement.

Dans les trois casinos québécois, un client ne peut obtenir une avance de fonds de la maison, comme c'est une pratique courante pour les joueurs réguliers dans les casinos américains. Pourtant, dans certains établissements licenciés, on permet une avance d'argent à des clients réguliers afin qu'ils puissent continuer à jouer. Cela est illégal, mais allez donc contrôler cela !

Une mesure urgente à prendre pour les appareils de loterie vidéo est celle de convaincre les propriétaires d'établissement licencié de sortir le plus vite possible les guichets automatiques car alcool+vidéo-poker+guichet automatique = un cocktail dangereux qui conduit directement à des drames humains. Le joueur compulsif n'a aucune chance, il perd dès qu'il met les pieds à l'intérieur de l'établissement. Cette stratégie d'offrir ce « service » à la clientèle est peut-être profitable à court terme pour les tenanciers, mais leur sera nuisible à moyen terme. Il faudrait leur faire comprendre qu'ils se tirent dans le pied à vouloir trop presser le citron. Qu'arrivera-t-il lorsque leurs clients réguliers n'auront plus d'argent ? Qui fréquentera leur établissement ? Combien d'ex-joueurs se tiennent maintenant éloignés de leur bar favori à cause de la présence des loteries vidéo ?

Il y a des propriétaires d'établissement licencié qui ont refusé l'installation de loteries vidéo dans leur établissement, certains même ont sorti les appareils. La Régie des alcools, des courses et des jeux devrait leur fournir une affiche annonçant qu'il n'y a pas d'appareils de loterie vidéo à l'intérieur de leur établissement. Je suis convaincu que ces établissements iraient chercher une nouvelle clientèle.

Mais peu importe où seront localisés les appareils de loterie vidéo, ils seront toujours accessibles aux joueurs problématiques et compulsifs. Parmi ces joueurs, certains aimeraient sans doute obtenir de l'aide de Loto-Québec pour les aider à se sortir de leur dépendance. Cette aide, bien que présente à l'intérieur des casinos, n'existe pas pour les clients des appareils de loterie vidéo qui représentent, je le répète, la grande majorité des joueurs compulsifs. C'est un peu comme si, pour intercepter les automobilistes qui enfreignent les limites de vitesse permises, la Sûreté du Québec avait établi des points de contrôle sur les petites routes secondaires et négligé les routes principales et les autoroutes.

Pourquoi ne pas rendre cette aide disponible pour tous les joueurs compulsifs ? C'est faisable. Présentement, Loto-Québec offre la possibilité à un client de l'un de ses casinos, aux prises avec des problèmes de jeu et qui désire s'en libérer, de se faire interdire l'accès à l'un ou à ses trois casinos et ce, pour une période minimale de trois mois. Ce programme répond à un besoin car durant l'exercice financier 1999-2000, quelque 3 300 joueurs compulsifs[48] étaient inscrits sur cette liste d'exclusion pour les 3 casinos du Québec.

Mais un joueur compulsif qui fréquente l'un des 4 085 établissements licenciés pour des appareils de loterie vidéo et qui veut se sortir de sa dépendance a plus de difficulté à le faire que celui qui ne fréquente que les casinos. Il ne peut compter que sur lui-même. Il ne reçoit aucune aide de Loto-Québec. Pourquoi ne pas étendre à l'ensemble du Québec le programme d'autoexclusion ? Bien entendu, pas question ici d'avoir une liste noire, avec photo et description des joueurs exclus qui circulerait parmi les 4 085 tenanciers. Le programme ne ferait pas long feu, personne n'y adhérerait, sachant très bien qu'il n'y aurait aucune confidentialité, élément essentiel pour assurer le succès d'un tel programme. Pour rendre ce programme d'autoexclusion universel et efficace, je suggère de rendre obligatoire l'utilisation d'une carte magnétique personnalisée pour avoir accès à tous les appareils de loterie vidéo. Cette carte, qui serait émise à tous les clients qui désirent jouer aux appareils de loterie vidéo en dehors d'un casino, peu importe l'endroit, serait nécessaire pour avoir accès à un appareil. Lorsqu'un joueur compulsif désirerait se faire bannir des appareils de loterie vidéo pour une période déterminée, il n'aurait qu'à composer un numéro de téléphone et à s'identifier. Sa carte serait alors démagnétisée et le joueur n'aurait plus accès à aucun des appareils de loterie vidéo, peu importe leur localisation.

En plus d'aider les joueurs compulsifs, un tel programme assurerait qu'aucun mineur ne puisse avoir accès aux appareils de loterie vidéo. Ce programme permettrait au joueur compulsif qui veut s'en sortir de recevoir une certaine aide de Loto-Québec. Un tel programme peut être mis en place assez rapidement puisque Loto-Québec a déjà installé un tel mécanisme de lecture de cartes magnétiques sur toutes ses machines à sous installées dans ses trois casinos. Il s'agit d'un programme de récompenses : un client qui le désire reçoit une carte qui lui offre la possibilité d'accumuler des points échangeables contre des cadeaux, repas ou encore de l'argent. Le client insère sa carte dans l'ouverture prévue à cet effet dans l'appareil et le compteur de points se met en fonction, la carte possédant un code l'identifiant. Dépendamment des montants et du temps de jeu du client, celui-ci accumulera un certain nombre de points. Ce mécanisme peut très bien être installé sur les appareils localisés hors casino avec quelques variantes, puisque l'objectif serait différent.

Les casinos

Les casinos sont là pour rester, ce sont les cirques des temps modernes et ils procurent à la majorité de ceux qui les fréquentent un divertissement. Il n'est pas question ici de suggérer de les rendre austères, cela ferait fuir la clientèle qui irait se divertir dans les autres casinos – je dois dire ici que les casinos québécois dans leur ensemble sont un moindre mal par rapport aux autres, n'utilisant pas tous les trucs pour plumer le client. Comme on l'a vu plus haut, contrairement aux autres casinos nord-américains, les casinos québécois interdisent la consommation d'alcool aux tables de jeu et dans l'espace des machines à sous et c'est tant mieux. Ils n'autorisent pas non plus les avances de fonds, refusant ainsi tout crédit de la maison, ce qui se pratique dans les casinos américains avec les joueurs réguliers.

Là où Loto-Québec pourrait améliorer ses efforts pour aider les joueurs compulsifs, c'est en rendant plus accessible son programme d'autoexclusion. Présentement, ce programme se fait fort discret et pour y adhérer, le joueur doit vraiment être décidé. Pourquoi ne pas le publiciser davantage à l'intérieur des casinos et surtout en faciliter l'adhésion? Je m'explique: au Casino de Montréal, par exemple, lorsqu'un joueur désire se faire interdire l'accès pour une certaine période, il doit se rendre, accompagné d'un agent du casino, aux bureaux de la sécurité situés je ne sais où. Pour s'y rendre, le joueur doit traverser des corridors, prendre un ascenseur réservé au personnel, bref, il rencontre beaucoup d'employés du casino et j'avoue, pour l'avoir fait, que c'est un peu gênant. Ne serait-il pas possible d'aménager un local situé plus près des aires de jeu et où tout se ferait plus discrètement?

Pourquoi ne pas permettre et favoriser un certain suivi des joueurs à risque dans les casinos? Permettre à des représentants des Gamblers Anonymes d'informer ces joueurs des dangers et des formes d'aide mises à leur disposition. La présence des représentants des Gamblers Anonymes contrebalancerait un peu celle des *shylocks.* La Suisse, qui a légalisé les casinos récemment, a obligé ceux-ci à mettre en place une telle mesure[49].

Aux États-Unis, lorsque les casinos ont implanté un programme de fidélisation pour leur clientèle, l'objectif était de garder les clients à l'intérieur de leur casino, car l'offre est telle à Las Vegas et à Atlantic City que le client a le choix parmi les établissements. Au Québec, ce n'est pas le cas, les casinos ont le monopole dans leur région, aussi le programme de fidélisation avec la carte Privilège n'a-t-elle qu'un objectif: faire dépenser davantage le client. Plus il joue, plus il amasse des points et... plus il perd, car le temps joue toujours en faveur du casino. Il faudrait abolir ce programme qui favorise le développement de la dépendance au jeu.

Les guichets automatiques sont une excellente affaire pour les casinos, permettant aux clients malchanceux de retirer de l'argent pour continuer à jouer. Mais ces guichets automatiques ont ceci de particulier, dans les casinos, c'est qu'ils fonctionnent à sens unique. Impossible d'y déposer de l'argent, comme c'est le cas pour les guichets automatiques installés dans les banques, caisses populaires et autres points de service. Pourquoi ne pas permettre à un client chanceux qui fait affaire avec l'institution bancaire responsable du guichet automatique d'y déposer de l'argent ? C'est naïf, ce que je suggère ici ? Oui, c'est vrai, mais quel est l'objectif du casino, plumer le vite possible sa clientèle ou en faire des clients satisfaits ? De plus, il serait pertinent de rendre moins accessibles les guichets automatiques, du moins au Casino de Montréal. Ils sont tous situés près des machines à sous ou des tables de jeu, tellement près qu'un joueur peut presque faire un retrait tout en continuant à jouer ! On ne donne aucune chance aux joueurs compulsifs, on les étourdit.

Une étude révèle que 78 % des joueurs récréatifs ne retirent jamais d'argent des guichets automatiques installés sur place pour jouer dans les appareils de loterie vidéo mais par contre, 65 % des joueurs compulsifs le font[50] ! De plus, il faudrait interdire complètement l'avance de fonds sur cartes de crédit, limiter les avances de fonds aux seuls comptes bancaires.

Enfin, la direction de Loto-Québec a souvent mentionné que le bâtiment actuel du Casino de Montréal était inadéquat, qu'il serait préférable de le déménager. Parfait, je suis d'accord avec cette solution mais, au lieu de le déménager dans le Vieux-Montréal (ce serait catastrophique), je suggère de le déménager à Mirabel où l'aérogare n'arrête pas de mourir. L'aérogare est immense, le stationnement amplement disponible, un hôtel est déjà là et l'endroit n'est ni trop près ni trop loin de Montréal. Les joueurs des autres provinces et des États-Unis pourraient même y venir en avion.

Loteries

Lorsqu'un consommateur achète un paquet de cigarettes, il le fait en toute connaissance de cause. Il sait que fumer est dangereux pour sa santé et celle des autres, c'est indiqué en couleurs et bien en évidence sur chaque paquet de cigarettes. Pourtant, lorsqu'un consommateur achète un billet de loterie instantanée, il ne sait pas que le jeu peut développer une dépendance chez certaines personnes. Pourquoi Loto-Québec n'est-elle pas soumise aux mêmes règles ?

Lorsqu'une entreprise ou un détaillant organise un concours, il est possible, en vérifiant sur le bulletin de participation, de connaître quelles sont nos chances de gagner, combien il y a de prix dans chaque catégorie, etc. C'est une exigence de La Société des loteries et courses du Québec. Pourtant, lorsqu'un consommateur achète un billet de loterie instantanée, il ne sait pas quelles sont ses chances réelles de gagner. De plus, le billet ne mentionne que les lots à gagner, pas leur nombre. Loto-Québec devrait être assujettie aux même règlements que les autres entreprises.

Pour l'exercice 2000-2001, il s'est vendu pour 1,8 milliard de dollars de billets de loterie de toutes sortes dans les quelque 11 000 points de vente de Loto-Québec, mais seulement 2 avis ont été émis contre des détaillants qui ont vendu des billets aux mineurs… Dans chacun de ces points de vente, l'interdiction de vente aux mineurs et les amendes prévues pour ceux qui achètent des billets pour les mineurs devraient être affichées plus clairement et la loi appliquée plus sévèrement.

Enfin, dans tous les dépanneurs, les employés ne devraient plus être tenus de demander à chaque client s'il désire acheter un billet de loterie. On nous répondra qu'il s'agit là d'une décision du propriétaire du dépanneur, c'est vrai, sauf que Loto-Québec exerce des pressions sur lui en fixant des quotas de vente et en organisant des promotions. Si ces quotas ne sont pas atteints, le propriétaire risque de perdre sa valideuse. De telles pressions étaient également exercées sur les propriétaires d'établissement licencié disposant d'appareils de loterie vidéo : s'ils n'atteignaient pas un certain quota de vente, ils pouvaient perdre un ou plusieurs de leurs appareils. Depuis avril 2001, il semblerait que ces pressions aient cessé.

Conclusion

En guise de conclusion, bien que n'étant pas un analyste en gestion d'entreprise, je crois que Loto-Québec est une société d'État très bien gérée. En fait, elle fonctionne selon le modèle d'une entreprise privée en situation de monopole : objectifs de croissance annuelle, lancement de nouveaux produits, pressions sur les détaillants, programme de récompenses, etc.

Loto-Québec essaie (et réussit), par tous les moyens légaux possibles, d'augmenter son chiffre d'affaires et sa rentabilité. Elle génère beaucoup de profits qui vont dans les coffres de l'État. Depuis sa création en 1969, Loto-Québec connaît une croissance annuelle exponentielle, ses revenus passant de 51 millions de dollars à plus 3,5 milliards de dollars ! Qui dit mieux ? De plus, au cours des années, Loto-Québec a acquis une excellente réputation à l'étranger et commence à exporter avec succès son expertise. Mais alors, depuis le temps que l'on reproche au secteur public de se traîner les pieds, on ne va tout de même pas reprocher à une société d'État d'exceller dans son domaine, n'est-ce pas? En effet, vu sous cet angle, ça va très bien... Mais là où le bât blesse chez Loto-Québec, c'est que, dans sa poursuite de la croissance, cette société d'État a oublié que ses produits ne sont pas inoffensifs, qu'ils contiennent une petite dose de poison. Lorsqu'ils sont pris à doses raisonnables, ses produits n'ont aucun effet négatif sur le consommateur, au contraire ils procurent un certain plaisir, mais si les doses sont excessives, le produit devient très dangereux et peut être mortel. De plus, certains de ses produits sont plus nocifs que d'autres. Cela, il semble que la direction de Loto-Québec l'ait oublié en cours de route puisqu'elle fait tout pour que le consommateur augmente les doses. Pourtant, ce n'est pas de la tarte aux pommes qu'elle vend!

C'est la recherche de la croissance à tout prix qui explique certaines stratégies marketing aberrantes de Loto-Québec, comme celle d'installer des machines distributrices de billets de loterie instantanée à l'Université du Québec à Montréal en 1999. L'imposition de quotas aux propriétaires d'établissement licencié qui disposent d'appareils de loterie vidéo de même qu'aux établissements possédant une valideuse pour la 6/49 découle également de cette recherche de la croissance à n'importe quel prix, sans égard aux conséquences sociales.

Loto-Québec a probablement rejoint tous les consommateurs québécois susceptibles de s'intéresser à l'un ou l'autre de ses produits, ce qui veut dire que le marché intérieur est saturé; toute augmentation de ses ventes se fera, comme c'est le cas pour le secteur des loteries vidéo, en allant chercher plus d'argent chez les clients actuels.

Est-ce vraiment cela que le gouvernement du Québec désire? Que les Québécois dépensent leurs économies, qu'ils ont accumulées dollar par dollar au cours de leur vie, dans des jeux de hasard, au lieu de les investir dans l'amélioration de leur qualité de vie ou dans l'économie?

Est-ce que le gouvernement veut inciter indirectement les joueurs compulsifs à commettre des actes désespérés pour continuer à nourrir leur cancer? Qui en dilapidant ses REÉR, qui avec de l'argent destiné aux dépenses du ménage, qui avec de l'argent provenant de la vente de biens personnels, qui avec de l'argent provenant de la tirelire de son enfant, qui en fraudant son employeur, qui en volant ses parents, son conjoint... J'ose croire que non.

Il faudrait ajouter un critère pour juger de la performance globale de Loto-Québec, un critère spécifique au type de produits offerts par cette société d'État. Ce critère pourrait être basé sur les résultats du contrôle du jeu compulsif exercé par Loto-Québec. Je ne pense pas que la population tiendrait rigueur à la société d'État si le succès de ses efforts pour diminuer le nombre de joueurs compulsifs résultait en une baisse de ses revenus. D'ailleurs, selon une recherche récente, 80 % des Québécois estiment que le gouvernement doit faire davantage pour diminuer les aspects négatifs du jeu[51].

Les quatre milliards de dollars que Loto-Québec a pompés des poches des joueurs de loterie vidéo au cours des six dernières années ont fait trop de victimes et causé trop de drames familiaux pour qu'on laisse la situation telle quelle. Ce ne sont pas 1 000 appareils de moins, soit 6 % du parc actuel d'appareils de loterie vidéo, qui feront une grande différence, ni une coupure de 10 % dans le budget de publicité. Il faut que le gouvernement donne un sérieux coup de barre à gauche pour ramener son vaisseau amiral naviguer dans des eaux moins troubles, plus saines. Sinon, le nombre de naufragés ne fera qu'augmenter et le navire finira par couler. Tout le monde alors y perdra.

Si vous voulez réagir à ce livre ou donner vos commentaires sur les jeux de hasard, l'auteur vous invite à lui écrire à l'adresse électronique suivante:

riennevaplus_joueur @hotmail.com

Annexe
Aides et ressources

Si vous avez un problème avec le jeu, il est peut-être temps pour vous de dire adieu à votre passé. Oubliez tout l'argent perdu au jeu, vous l'avez perdu à jamais. Dites-vous que cela aurait pu être pire, que vous auriez pu y laisser également votre santé et votre vie.

Pour vous aider à vous libérer du jeu, n'hésitez pas à demander de l'aide car, seul, vous ne pourrez pas vous en sortir : vous n'êtes pas Superman ou la femme bionique. Il suffit d'un coup de fil pour enclencher le processus de guérison qui vous permettra de recommencer à vivre et à profiter de tout ce qui vous entoure. Après ce premier coup de fil, tous les vrais espoirs seront permis, vous redeviendrez ce que vous étiez avant.

Pour vous guider dans votre démarche, voici une liste d'institutions dont le mandat est entre autres d'aider ceux et celles qui ont décidé de quitter l'enfer du jeu. L'information a été recueillie d'abord sur Internet, ensuite dans le Répertoire des ressources sur le jeu pathologique au Québec publié par le ministère de la Santé et des Services sociaux, enfin auprès des responsables des institutions qui m'ont fait parvenir un complément d'information sur les programmes offerts. Il est possible et probable que plusieurs centres ajoutent des services au cours des prochains mois, aussi je vous invite à communiquer directement avec le centre concerné pour une mise à jour des programmes offerts. Bien entendu, toutes les institutions mentionnées dans ce chapitre n'endossent pas nécessairement les propos tenus dans ce livre et, quel que soit le centre que vous contacterez, la confidentialité y est assurée.

Jeu : Aide et référence

Téléphone : (514) 527-0140
Numéro sans frais : 1 800 461-0140

Pour connaître rapidement les différentes ressources concernant le jeu pathologique selon chaque région, la ligne Jeu : Aide et référence est un outil essentiel. Cette ligne peut également offrir une oreille attentive aux personnes en difficulté et donner des renseignements pertinents sur la problématique du jeu. Ce service est gratuit, confidentiel, bilingue et disponible 24 heures, 7 jours par semaine.

Ressources disponibles partout au Québec

LES GAMBLERS ANONYMES

Téléphone : (514) 484-6666 (région de Montréal)
(418) 654-3555 (région de Québec)
Site Internet : www.gamblersanonymes.com

L'Association des Gamblers Anonymes est un regroupement à caractère spirituel dont les membres se rencontrent afin de régler leur problème de jeu. Les rencontres sont animées par des membres qui ne jouent plus et leur programme de rétablissement du joueur est basé sur 12 étapes telles que décrites aux pages 139 et 140.

L'ACEF

Organisme offrant une analyse budgétaire aux personnes aux prises avec des difficultés financières. L'ACEF peut aider les personnes ayant un problème de jeu à organiser leur budget afin de solutionner leurs problèmes financiers. Pour avoir le numéro de l'ACEF le plus près de chez vous, communiquez avec l'Office de la protection du consommateur au 1 888 672-2556.

Centres de traitement avec séjour pour joueurs compulsifs

Présentement, il existe quelques centres de traitement qui offrent une cure interne aux joueurs compulsifs. Plusieurs de ces centres offrent également des thérapies en externe. Comme les modalités d'admission sont différentes d'un centre à l'autre, je vous invite à communiquer directement avec eux pour avoir toute l'information pertinente.

LE CENTRE CASA
4920, rue Pierre-Georges-Roy
Saint-Augustin-de-Desmaures (Québec) G3A 1V7
Téléphone : (418) 871-8380
Courriel : casa@centrecasa.qc.ca
Site Internet : www.centrecasa.qc.ca

Organisme sans but lucratif fondé en 1994, le Centre CASA offre plusieurs services pour les joueurs en difficulté : une thérapie en interne de 28 jours comprenant de la psychothérapie individuelle et de groupe, des conseils financiers et des rencontres conjugales ou familiales ; une thérapie en externe individuelle ; de brefs séjours de réinsertion et de ressourcement ; des programmes d'information et de soutien à la famille et un suivi post-thérapie à Québec et à Longueuil. Le Centre offre aussi des ateliers thématiques, les week-ends, pour les couples. L'équipe du Centre est composée de professionnels de la santé diplômés en psychologie, service social, counseling et orientation, activité physique, nursing, thérapie par l'art, thérapie émotivo-rationnelle ainsi qu'un conseiller spirituel. Les demandes d'aide se font par téléphone et un rendez-vous d'évaluation est fixé dans les 48 heures suivant la demande d'aide.

LA MAISON CLAUDE BILODEAU

300, boul. Vachon Nord, C.P. 459
Sainte-Marie-de-Beauce (Québec) G6E 3B7
Téléphone: (418) 387-7071
Numéro sans frais: 1 877 387-7071
Courriel: maisoncbjeux@globetrotter.net
Site Internet: www.maisoncb.com

Il s'agit d'une maison de thérapie sans but lucratif, exclusivement pour joueurs compulsifs. La maison Claude Bilodeau offre des services psychologiques à l'interne axés spécifiquement sur le traitement du jeu compulsif (hébergement de 28 jours) et à l'externe. Les interventions – thérapie individuelle et de groupe – tiennent compte de l'individu dans sa globalité (aspects physique, psychologique, social et spirituel). On favorise le partage d'expériences personnelles constructives entre joueurs en thérapie et ex-joueurs compulsifs. L'équipe permanente est composée d'un directeur général qui est un ex-joueur compulsif, d'une psychologue spécialisée dans le domaine du jeu compulsif, d'une travailleuse sociale, d'une psychothérapeute et d'une infirmière. Des spécialistes se joignent hebdomadairement ou mensuellement à l'équipe (médecin, éducateur physique, un représentant de l'ACEF, une conseillère en orientation). La maison Claude Bilodeau offre aux proches du joueur des rencontres de groupe une fois la semaine.

LA MAISONNÉE DE LAVAL
8255, boul. des Laurentides
Laval (Québec) H7H 3C9
Téléphone: (450) 628-1011

La Maisonnée de Laval (anciennement La Maisonnée d'Oka) est un centre privé pour alcooliques, toxicomanes et joueurs compulsifs. Pour les joueurs compulsifs, La Maisonnée de Laval offre des thérapies de cinq jours avec hébergement. Ces sessions, ouvertes exclusivement aux personnes présentant une problématique de jeu, se font soit en groupe, soit individuellement.

PAVILLON DU NOUVEAU POINT DE VUE
356, rue Notre-Dame
Lanoraie (Québec) J0K 1E0
Téléphone: (450) 887-2392

Le Pavillon du Nouveau Point de Vue est un organisme non gouvernemental et sans but lucratif. Sa mission est d'aider les joueurs à se libérer de leur compulsion en adoptant un autre mode de vie. Ce centre offre un programme de cure à l'interne aux adultes d'une durée de 21 ou 28 jours. Le contenu thérapeutique est basé sur le programme des Gamblers Anonymes et vise l'abstinence du jeu.

CENTRE DOMRÉMY DU K.R.T.B.
127 B, rue Galarneau
Saint-Pacôme (Québec) G0L 3X0
Téléphone : (418) 852-2866

Le Centre Domrémy est un organisme non gouvernemental sans but lucratif qui a comme mission entre autres d'intervenir auprès des personnes aux prises avec un problème de jeu compulsif, d'offrir des occasions de formation aux intervenants et de sensibiliser la population générale à la problématique du jeu compulsif. Sa thérapie pour joueurs compulsifs est d'approche bio-psychosociale et cognitive. Le Centre Domrémy offre un traitement en interne (19 jours) et des consultations externes.

MAISON LA MARGELLE
1905, route Marie-Victorin
Sorel-Tracy (Québec) J3R 1M8
Téléphone : (450) 746-2788
Courriel : maisonlamargelle@yahoo.com

La Maison La Margelle est un centre de rétablissement privé (alcool, drogue, médicaments, jeu compulsif) à but non lucratif. Ses objectifs sont d'amener les individus à un meilleur équilibre émotionnel sur tous les volets de leur personnalité et dans tous les domaines de leur vie. La Margelle offre un service de relation d'aide 24 heures par jour, 7 jours par semaine. Pour le jeu compulsif, ce centre favorise l'approche bio-psychosociale avec une thérapie de groupe et individuelle. Les services sont gratuits lorsque donnés en externe. Ce centre offre aussi une thérapie à l'interne d'une durée de 20 jours. Des frais sont cependant exigés pour le séjour.

LA MAISON AU SEUIL DE L'HARMONIE
2A, rue de l'Église
Beauport (Québec) G1C 2C4
Téléphone : (418) 660-7900
Numéro sans frais : 1 877 980-7900
Courriel : info@seuil-harmonie.qc.ca
Site Internet : www.seuil-harmonie.qc.ca

Fondée en 1991 et d'abord spécialisée dans le traitement des problèmes de dépendance reliés à l'alcoolisme et à la toxicomanie, La Maison Au Seuil de l'Harmonie, qui est un organisme communautaire sans but lucratif, traite aussi, depuis 1999, les problèmes de dépendance reliés au jeu compulsif. Le centre favorise une approche thérapeutique biopsychosociale. La durée des séjours est de 21 à 28 jours et le centre utilise des blocs d'intervention spécifiques associés à la méthode préconisée par les Gamblers Anonymes. Le personnel professionnel comprend un psychologue, des psychothérapeutes et des intervenants formés dans différentes universités du Québec. Un médecin ainsi qu'un infirmier sont également présents sur place. Après son séjour, le patient bénéficie d'un suivi thérapeutique de 14 semaines afin de favoriser un retour progressif et harmonieux dans sa réalité.

HÉBERGEMENT DÉPANNAGE LE SÉJOUR DE JONQUIÈRE

2255, rue Saint-Jean-Baptiste
C.P. 833
Jonquière (Québec) G7X 7W6
Téléphone : (418) 547-8611
Courriel : sejour-escalade@cybernaute.com

L'Hébergement Dépannage Le Séjour de Jonquière est un organisme sans but lucratif dont la mission est d'offrir une aide humanitaire aux plus démunis de sa région qui sont aux prises avec des problèmes de toxicomanie, dont le jeu compulsif. Ce centre offre un service à l'externe et un service à l'interne. Il est accessible 24 heures par jour, 7 jours par semaine. À son centre de services externes, L'Escalade, Le Séjour de Jonquière offre des activités thérapeutiques et de loisirs. L'équipe d'intervention est composée d'une conseillère en orientation, d'un technicien en soins infirmiers et de techniciens en éducation spécialisée.

ACCUEIL HARVEY-BIBEAU

401, 1re rue Ouest, C.P. 747
Amos (Québec) J9T 3X3
Téléphone : (819) 727-1984
Numéro sans frais : 1 888 530-0723
Courriel : ahb@cableamos.com
Site Internet : www.cableamos.com/ahb

L'Accueil Harvey-Bibeau est un centre communautaire de dépannage et de thérapie sans but lucratif pour les personnes souffrant de problèmes liés à l'alcool, aux drogues ou au jeu compulsif. Ses services sont disponibles 24 heures par jour, 7 jours par semaine. Pour les joueurs compulsifs, L'Accueil Harvey-Bibeau offre une thérapie en interne ou en externe. En interne, la thérapie est d'une durée de 21 jours et favorise l'approche des Gamblers Anonymes. En externe, la durée est d'environ 12 rencontres et comme dans la plupart des autres centres, on privilégie l'approche cognitivo-comportementale ; le participant apprend ce qu'est vraiment un jeu de hasard et d'argent et il apprend aussi à reconnaître et à éviter les situations qui l'incitent à jouer.

LE DOMAINE DE LA SOBRIÉTÉ
400, avenue Centrale Nord
Stratford (Québec) G0Y 1P0
Téléphone: (418) 443-2277

Le Domaine de la sobriété aide à la réadaptation des personnes aux prises avec la problématique de jeu compulsif par le biais d'une thérapie formée en milieu écologique. L'objectif des thérapies individuelles et de groupe est d'encourager l'abstinence totale du jeu et de donner du soutien à la famille de la personne ayant des problèmes de jeu. Son approche est de type Gamblers Anonymes et psychosocial.

Centres de traitement pour joueurs compulsifs en service externe

Il s'agit pour la plupart de centres de traitement pour toxicomanes qui ont récemment ajouté un volet sur le jeu compulsif. Pour les centres qui sont membres du réseau de la santé et des services sociaux, les services sont gratuits. Pour les centres privés, une aide financière est peut-être possible (il faut s'informer auprès du centre concerné).

Île de Montréal

CENTRE DOLLARD-CORMIER
950, rue de Louvain Est
Montréal (Québec) H2M 2E8
Téléphone : (514) 385-0046
Courriel : cqdt.cdc@ssss.gouv.qc.ca
Site Internet : www.centredollardcormier.qc.ca

Le Centre Dollard-Cormier est un centre de réadaptation en toxicomanie qui offre en services externes un programme sur le jeu compulsif. Le programme est réparti en 7 volets et comprend, en plus de rencontres individuelles et de groupe d'une durée de 6 à 12 semaines, un service de consultation financière et un groupe de soutien post-thérapie afin d'aider le participant à gérer son budget et à maintenir sa motivation à briser le cycle du jeu.

Le programme sur le jeu compulsif est aussi offert à cet autre endroit à Montréal :

110, rue Prince-Arthur Ouest
Téléphone : (514) 982-4533

PAVILLON FOSTER
3285, boul. Cavendish, bureau 100
Montréal (Québec) H4B 2L9
Téléphone : (514) 486-1304, poste 320

Le Pavillon Foster est un centre de réadaptation qui offre des services de thérapie aux joueurs compulsifs unilingues anglophones de la grande région de Montréal. Le programme, gratuit, est d'une durée de 15 à 18 semaines. Il comprend des rencontres individuelles et de groupe et un suivi post-thérapie. Des rencontres avec les proches du joueur sont aussi offertes.

CLINIQUE DU NOUVEAU DÉPART
1851, rue Sherbrooke Est, bureau 1003
Montréal (Québec) H2K 4L5
Téléphone : (514) 521-9023

La Clinique du Nouveau Départ est un centre spécialisé de traitement de problèmes d'alcoolisme et autres toxicomanies. Cette clinique offre une aide thérapeutique aux patients alcooliques et toxicomanes qui présentent des problèmes de jeu compulsif associés aux autres toxicomanies. La clinique offre une approche individuelle et de groupe. Un encadrement familial est également offert.

ORIENTATION PRAXIS
6380, rue Papineau
Montréal (Québec) H2G 2W9
Téléphone: (514) 723-2585

Orientation Praxis est un centre de jour qui vient en aide aux joueurs compulsifs. Ce centre a développé un programme d'intervention externe (Enjeu) d'une durée de trois mois. La démarche proposée comprend des rencontres individuelles et de groupe, un processus dynamique, structuré et interactif, une connaissance de l'étape où se situe le participant dans son cycle de jeu et un plan personnalisé de prévention de la rechute.

SERVICE À LA FAMILLE CHINOISE DU GRAND MONTRÉAL
987, rue Côté, 4e étage
Montréal (Québec) H2Z 1L1
Téléphone: (514) 861-5244
Courriel: famillechinoise@hotmail.com
Site Internet: www.jeusite.org

Le Service à la famille chinoise du Grand Montréal offre un service d'aide pour joueurs compulsifs des communautés culturelles. La thérapie se fait en externe. Elle comprend des rencontres individuelles et de groupe et une aide à la famille. De plus, ce centre offre un service juridique. Pour les joueurs compulsifs, la première rencontre est gratuite. Les services du centre sont offerts en langues française, anglaise ou chinoise.

LA MAISON JEAN LAPOINTE

111, rue Normand
Montréal (Québec) H2Y 2K6
Téléphone: (514) 288-2611
Courriel: mjlm@totalnet.net

Le programme de la Maison Jean Lapointe est articulé autour de la philosophie des groupes d'entraide et de techniques reconnues dans le traitement du jeu compulsif. Il comprend: une phase d'évaluation, une phase de traitement de six semaines à l'externe composée de rencontres individuelles et de groupe; un suivi hebdomadaire d'une durée de six semaines, à raison d'un soir par semaine. Le programme vise l'acquisition d'une meilleure compréhension des facteurs menant au jeu compulsif. Le traitement permet de développer des moyens pour changer les habitudes de jeu, et pour maintenir les acquis à long terme. Le participant apprendra à reconnaître les conséquences du jeu sur sa vie et sur son entourage et à prendre les moyens pour se sortir du cercle infernal du jeu compulsif.

VIVA CONSULTING
16, rue Westminster Nord, bureau 202
Montréal (Québec) H4X 1Z1
Téléphone : (514) 486-6226
Courriel : viva@vivaconsulting.com
Site Internet : www.vivaconsulting.com

Viva Consulting est un centre privé bilingue qui mise sur l'éducation et la thérapie pour prévenir le jeu compulsif. La thérapie est individuelle et/ou familiale. De plus, ce centre organise des séminaires pour les entreprises privées et pour celles qui sont liées aux jeux de hasard.

Région de Laval

CENTRE LE MAILLON DE LAVAL
308A, boul. Cartier Ouest
Laval (Québec) H7N 2J2
Téléphone : (450) 975-4054

Le Centre Le Maillon est un centre de réadaptation en alcoolisme et toxicomanie qui offre aussi des services thérapeutiques gratuits aux joueurs compulsifs. Le programme est offert sous forme de groupe en externe à raison d'une fois la semaine. Il s'adresse aux gens de Laval.

CENTRE CAFAT
111, boul. des Laurentides, bureau 210
Laval (Québec) H7G 2T2
Téléphone : (450) 669-9669
Courriel : info@cafat.qc.ca
Site Internet : www.cafat.qc.ca

Le Centre CAFAT est un centre de traitement de la codépendance et autres dépendances nocives. Ce centre offre en externe pour les joueurs compulsifs, un service d'évaluation, de traitement et de suivi postcure. La thérapie est individuelle ou de groupe. Des services pour les proches du joueurs sont aussi disponibles.

Région de Lanaudière

LE TREMPLIN

Le Tremplin est un centre externe de désintoxication et réadaptation en alcoolisme, toxicomanie et jeu compulsif relevant du Centre hospitalier régional de Lanaudière.

Le programme pour joueurs compulsifs comprend une évaluation psychosociale, un suivi individuel et de groupe. Les services s'adressent à tous les résidents de Lanaudière. Le Tremplin offre un programme spécifique pour les moins de 20 ans. Les services sont disponibles aux endroits suivants:

Joliette
154, rue Visitation
(450) 755-6655

Repentigny
661, rue Notre-Dame
(450) 657-0071

Mascouche
3013, boul. Sainte-Marie
(450) 966-9705

Région des Laurentides

CENTRE ANDRÉ-BOUDREAU

Desservant les territoires des CLSC suivants:

Arthur-Buies, Argenteuil, Jean-Olivier-Chénier, Thérèse-de-Blainville, Pays-d'en-Haut, Trois-Vallées et Hautes-Laurentides

Le Centre André-Boudreau est un établissement public du réseau de la santé et des services sociaux. Ses services pour les joueurs compulsifs sont offerts en externe seulement. Le Centre propose une démarche en trois étapes: une évaluation complète, des rencontres individuelles et des sessions de groupe. L'objectif est de mesurer les impacts du jeu dans la vie du joueur compulsif, de cerner sa motivation au changement, de déterminer ses objectifs, d'identifier les situations à risque, de modifier ses idées et croyances qui l'incitent à jouer et de consolider les changements. Le Centre André-Boudreau a trois points de service qui sont accessibles du lundi au vendredi durant le jour.

Saint-Jérôme
910, rue Labelle
Téléphone: (450) 432-1118, poste 226
Courriel: pav.boudreau@sympatico.ca

Sainte-Thérèse
6, rue de l'Église
Téléphone: (450) 433-9929

Sainte-Agathe
107, rue Saint-Vincent
Téléphone: (819) 321-0593

Région de la Montérégie

PAVILLON FOSTER
(CLSC Samuel-de-Champlain)
5811, boul. Taschereau Est, bureau 100
Brossard (Québec) J4Z 1A5
Téléphone : (450) 445-4452

Le Pavillon Foster est un centre de réadaptation qui offre des services de thérapie aux joueurs compulsifs unilingues anglophones. Le programme est gratuit et est d'une durée de 15 à 18 semaines. Il comprend des rencontres individuelles et de groupe et un suivi post-thérapie. Des rencontres avec les proches du joueur sont aussi offertes.

CENTRE LE VIRAGE
5110, boul. Cousineau, 4e étage
Saint-Hubert (Québec) J3Y 7G5
Téléphone : (450) 443-2100

Le Virage est un établissement public du réseau de la santé et des services sociaux. Pour les joueurs compulsifs, ce centre offre un traitement qui s'échelonne sur environ 17 rencontres. L'objectif de la thérapie est de développer chez le participant, la capacité de cesser de jouer, entre autres en lui apprenant ce qu'il en est réellement des notions de jeux de hasard et d'argent. Les services sont personnalisés et sont offerts sous forme de thérapies individuelles et de groupe.

L'AS DE CŒUR

505, rue Sainte-Hélène, bureau 1
Longueuil (Québec) J4K 3R5
Téléphone : (514) 442-9566

L'As de cœur est un organisme sans but lucratif qui offre des services professionnels en relation d'aide à toute personne désirant se sortir de difficultés engendrées par le jeu. Les différents types de services offerts sont : consultations individuelles, suivi hebdomadaire de groupe, bilan financier, relèvement de pression auprès des créanciers, et une thérapie intensive en externe de quatre semaines. L'approche évaluative, émotivo-rationnelle, les 12 étapes des Gamblers Anonymes ainsi que des techniques d'imagerie mentale et de médiation sont utilisées. Chaque participant est évalué afin que l'on puisse lui fournir l'aide correspondant à ses besoins, à sa disponibilité et à ses moyens. Les coûts de traitement sont défrayés par les participants ou par leur programme d'aide aux employés.

LE CENTRE SINO-QUÉBÉCOIS DE LA RIVE-SUD

45, place Charles-Lemoyne, bureau 102
Longueuil (Québec) J4K 5G5
Téléphone : (450) 651-8989
Courriel : csqrs@qc.aira.com

Le Centre Sino-Québec de la Rive-Sud offre à la population de la Rive-Sud, un service d'aide pour joueurs compulsifs. La thérapie est en externe. Elle comprend des rencontres individuelles et de groupe et une aide à la famille. De plus, le Centre offre, lorsque nécessaire, des services juridiques. Les services sont offerts en langues française, anglaise ou chinoise.

LA MAISON L'ALCÔVE
5000, boul. Laurier
C.P. 730
Saint-Hyacinthe (Québec) J2S 7P5
Téléphone : (450) 773-7333
Courriel : alcove@qc.aira.com
Site Internet : www.maisonlalcove.com

La Maison l'Alcôve est une maison de thérapie pour hommes et femmes de 18 ans et plus souffrant d'alcoolisme ou de toxicomanie. En services externes, elle offre une thérapie pour joueurs compulsifs comprenant une aide à la famille, un suivi individuel et de groupe. La thérapie est d'une durée de 12 à 16 semaines.

Région de Québec

CENTRE DE RÉADAPTATION UBALD-VILLENEVUE
2525, chemin de la Canardière
Beauport (Québec) G1J 2G3
Téléphone : (418) 663-5008

Le Centre de réadaptation Ubald-Villeneuve regroupe les ressources de réadaptation en toxicomanie de l'Hôpital Saint-Francois d'Assise et du Carrefour Ubald-Villeneuve. Ce centre offre, depuis avril 2001, un programme spécialisé de traitement du jeu compulsif qui s'étale sur 17 rencontres ; à travers une série d'étapes, le but poursuivi est de développer la capacité de cesser de jouer. Les services sont personnalisés et sont sous forme de rencontres individuelles.

Les services sont aussi offerts aux endroits suivants :

Baie-Saint-Paul
5, rue Boivin
Téléphone : (418) 435-5475

Donnacona
400, route 138
Téléphone : (418) 285-2626

La Malbaie
535, boul. de Comporté
Téléphone : (418) 665-6413

Saint-Marc-des-Carrières
1045, av. Bona-Dussault
Téléphone : (418) 268-3571

RESSOURCE GÉNÉSIS
367, rue Saint-Étienne
C.P. 238
La Malbaie (Québec) G5A 1T7
Téléphone : (418) 665-3912

Ressources Génésis est un organisme qui vise à sensibiliser la population aux problèmes causés par les diverses toxicomanie. Ce centre organise à l'intention des joueurs compulsifs des activités culturelles, sociales et éducatives afin de briser leur solitude et de favoriser leur réinsertion.

CENTRE D'AIDE AUX JOUEURS COMPULSIFS
2525, rue de la Canardière, 3e étage
Beauport (Québec) G1E 3V7
Téléphone : (418) 663-1816 ou 663-1932

Le Centre d'aide aux joueurs compulsifs est un organisme sans but lucratif dont la mission est d'intervenir de toutes les manières possibles auprès des personnes qui, de près ou de loin, ont des problèmes avec le jeu. Les services offerts sont : service d'aide, d'écoute et de référence aux joueurs compulsifs ainsi qu'à leur famille, accompagnement et aide aux couples en difficulté à cause du jeu.

Région de Chaudière-Appalaches

ALTO
253, route 108
Beauceville (Québec) G5X 2Z3
Téléphone : (418) 774-3304, poste 2391

ALTO est un centre de réadaptation public en toxicomanie, alcoolisme et jeu compulsif qui dispense des services thérapeutiques en externes aux joueurs compulsifs. Ces services de réadaptation pour joueurs compulsifs sont accessibles pour l'ensemble du territoire sur le même modèle que ceux liés à la toxicomanie. En plus de Beauceville, les services pour joueurs compulsifs sont disponibles dans les localités suivantes :

Lac-Etchemin
331, place du Sanatorium
Téléphone : (418) 625-8001

Laurier-Station
135, rue de la Station
Téléphone : (418) 728-3435

Lévis
143, rue Wolfe
Téléphone : (418) 835-7121, poste 3293

Montmagny
168, rue Saint-Joseph
Téléphone : (418) 248-2572

Saint-Jean-Port-Joli
430, rue Jean-Leclerc
Téléphone : (418) 598-3355

Saint-Lazare
100, rue Mgr Bilodeau
Téléphone : (418) 883-2227

Saint-Prosper
2653, 25e Avenue
Téléphone : (418) 594-8282

Saint-Romuald
975, rue de la Concorde
Téléphone : (418) 834-5512

Sainte-Marie
20, av. du Bocage
Téléphone : (418) 387-8181

Thetford Mines
17, rue Notre-Dame Sud, Bureau 100
Téléphone : (418) 338-3511
(418) 228-2244

Région de la Mauricie – Centre du Québec

DOMRÉMY MAURICIE/CENTRE DU QUÉBEC
1420, rue Royale
Trois-Rivières (Québec) G9A 4J7
Téléphone : (819) 374-4744
Courriel : domremymcq@ssss.gouv.qc.ca

Domrémy Mauricie/Centre du Québec est un établissement public du réseau de la santé et des services sociaux. Il offre, entre autres, aux joueurs compulsifs un programme de traitement sous forme de 17 rencontres de groupe et individuelles. Les services sont aussi disponibles dans les localités suivantes :

Drummondville
350, rue Saint-Jean
Téléphone : (819) 475-0242

Gentilly – Bécancour
3689, boul. Bécancour
Téléphone : (819) 298-2144

La Tuque
861, boul. Ducharme
Téléphone : (819) 523-6113

Louiseville
41, boul. Comtois, 1er étage
Téléphone : (819) 228-2731

Nicolet
382, rue Mgr Signay
Téléphone : (819) 293-2031

Plessisville
1331, rue Saint-Calixte
Téléphone : (819) 362-6301

Saint-Tite
750, rue du Couvent
Téléphone : (418) 365-7555

Sainte-Geneviève-de-Batiscan
90, rue Rivière-à-Veillette
R.R. 4
Téléphone : (418) 362-2727

Shawinigan
750, rue Promenade
du Saint-Maurice
Téléphone : (819) 536-0004

Victoriaville
100, rue de L'Ermitage
Téléphone : (819) 752-5668

Région de l'Estrie

CENTRE JEAN-PATRICE CHIASSON
1270, rue Galt Ouest
Sherbrooke (Québec) J1H 2A7
Téléphone : (819) 821-2500

Le Centre Jean-Pierre Chiasson offre des services thérapeutiques en externe aux joueurs compulsifs.

Région de l'Outaouais

CENTRE JELLINEK
25, rue Saint-François
Hull (Québec) J9A 1B1
Téléphone: (819) 776-5584
Courriel: jellinek@jellinek.org
Site Internet: www.jellinek.org

Le Centre Jellinek offre des services aux personnes ayant un problème de consommation d'alcool, de drogues, de médicaments ou de jeu compulsif. Le programme pour les joueurs compulsifs comprend une thérapie individuelle et une thérapie de groupe. De plus, des conseillers aident le joueur et sa famille à planifier un budget. Pour les proches du joueur, ce centre offre également de l'aide sous forme de thérapie et de services-conseils.

En plus de Hull, le Centre Jellinek offre des services aux endroits suivants:

Buckingham
Téléphone: (819) 281-6776

Fort-Coulonge
Téléphone: (819) 683-3841

Gatineau
Téléphone: (819) 776-5584

Maniwaki
Téléphone: (819) 449-5549

Masham
Téléphone: (819) 456-3877

Saint-André-Avelin
Téléphone: (819) 983-2712

CENTRE D'AIDE 24/7
19, rue Caron
Hull (Québec) J8Y 1Y6
Téléphone : (819) 595-9999

Le Centre d'aide 24/7 est un service d'intervention offrant un service 24 heures par jour, 7 jours par semaine. Sa mission est d'offrir aux personnes et à leurs proches qui vivent une situation de crise ou de détresse, des services d'accueil, d'aide, de soutien et d'accompagnement. Ce centre offre un service d'aide téléphonique ainsi que l'hébergement à court terme.

Région du Saguenay – Lac Saint-Jean

CENTRE DE RÉADAPTATION ALCOOLISME ET TOXICOMANIE (CARREFOUR DE SANTÉ DE JONQUIÈRE)

223, rue de l'Hôpital
C.P. 1200
Jonquière (Québec) G7X 7X2
Téléphone : (418) 695-7710
Site Internet : www.carrefoursante.qc.ca

Le Carrefour de santé de Jonquière offre un programme d'aide aux joueurs compulsifs.

Il s'agit d'une thérapie individuelle dont la durée est déterminée à la suite de l'évaluation du problème chez le participant. Ce centre offre aussi un programme de soutien à la famille du joueur compulsif.

Le programme d'aide est également disponible aux endroits suivants :

Alma
CLSC Le Norois
100, av. Saint-Joseph Sud
Téléphone : (418) 668-4563

Dolbeau-Mistassini
Centre Maria-Chapdelaine
201, boul. des Pères
Téléphone : (418) 276-1234

La Baie
Centre Cléophas-Claveau, Pavillon CLSC
800, rue Aimé Gravel
Téléphone : (418) 544-7316

Roberval
Hôtel Dieu de Roberval
450, rue Brassard
Téléphone : (418) 275-8775

Région du Bas-Saint-Laurent

L'ESTRAN
CENTRE DE RÉADAPTATION EN TOXICOMANIE
75, rue Saint-Henri
Rivière-du-Loup (Québec) G5R 2A4
Téléphone: (418) 868-1010, poste 355
Courriel: lestran@cgocable.ca

L'Estran est un centre de réadaptation en alcoolisme et toxicomanie qui offre également des services de réadaptation aux joueurs compulsifs, et ce, dans l'ensemble du territoire du Bas-Saint-Laurent. Pour le jeu compulsif, le programme comprend une évaluation des besoins, un suivi individuel, conjugal ou familial, l'intervention auprès de l'entourage, l'orientation vers des ressources appropriées, la référence en stage interne si nécessaire et la possibilité de rencontres de groupe. Les services sont également disponibles dans les localités suivantes:

Cabano
CLSC
Téléphone: (418) 854-2572

La Pocatière
Centre hospitalier Fatima
Téléphone: (418) 856-3540, poste 7340

Pohénégamook
CLSC
Téléphone: (418) 859-3000, poste 213

Rimouski
79, rue Évêché Est
Téléphone : (418) 722-7222

Saint-Pascal
CLSC
Téléphone: (418) 492-1223, poste 3156

Trois-Pistoles
CLSC
Téléphone: (418) 851-3700, poste 303

LE TREMPLIN, MAISON DE TRANSITION POUR HOMMES

130, rue Fraser
C.P. 320
Matane (Québec) G4W 3G7
Téléphone: (418) 562-0632

La mission de cet organisme communautaire est de permettre aux joueurs compulsifs de reprendre leur vie en main en s'intégrant à un groupe d'entraide.

Région de la Gaspésie et des Îles-de-la-Madeleine

CENTRE DE RÉADAPTATION
POUR PERSONNE ALCOOLIQUE ET TOXICOMANE
L'ESCALE
145, 7e Rue Ouest
Sainte-Anne-des-Monts (Québec) G0E 2G0
Téléphone : (418) 763-5000

L'Escale offre aux joueurs compulsifs un programme d'aide pour se libérer de leur dépendance. Les intervenants utilisent une approche bio-psychosociale dans le but de permettre au participant d'acquérir des habiletés qui l'aideront à répondre à ses besoins de manière adéquate sur le plan de sa santé physique, de sa santé mentale ou de ses relations interpersonnelles. Ce programme est offert dans tous les points de service de L'Escale qui couvrent la Gaspésie, les Îles-de-la-Madeleine et le Bas-Saint-Laurent :

Cap-aux-Meules
420, chemin principal
Téléphone : (418) 986-2572

Caplan
96, boul. Perron Ouest
Téléphone : (418) 388-2572

Chandler
633, av. Daigneault
Téléphone : (418) 689-2572

Gaspé
205, boul. York Ouest,
2e étage
Téléphone : (418) 368-2572

Saint-Omer
107, route 132
Téléphone : (418) 364-7064

LE PAVILLON CHALEURS
115, route 132
C.P. 162
Gascons (Québec) G0C 1P0
Téléphone: (418) 396-2322
(418) 396-3386

Le Pavillon Chaleurs est un centre de réhabilitation sans but lucratif pour alcooliques, toxicomanes et joueurs compulsifs. La thérapie pour les joueurs compulsifs est offerte en externe seulement. On peut joindre ce centre 24 heures par jour.

Région de l'Abitibi-Témiscamingue

CENTRE NORMAND
621, rue de l'Harricana
Amos (Québec) J9T 2P9
Téléphone: (819) 732-8241

Le Centre Normand est un centre public de réhabilitation pour alcooliques, toxicomanes et joueurs compulsifs. Pour ces derniers, ce centre offre une thérapie individuelle et de groupe. La durée de la thérapie varie selon l'étape où se situe le joueur compulsif. Un suivi post-thérapie est possible. Les services sont aussi offerts dans les localités suivantes:

La Sarre
679, 2e Rue Est
Téléphone: (819) 333-2311

Rouyn-Noranda
1, 9e Rue
Téléphone: (819) 762-0088

Val d'Or
725, 6e Rue
Téléphone: (819) 874-4171

Ville-Marie
21, rue Notre-Dame-de-Lourdes
Téléphone: (819) 622-0137

Région de la Côte-Nord

CENTRE LE CANAL
659, boul. Blanche
Baie-Comeau (Québec) G5C 2B2
Téléphone : (418) 589-5704
Numéro sans frais : 1 800 418-5704

Le Centre Le Canal est un établissement public du réseau de la santé et des services sociaux. Le programme de traitement pour le jeu compulsif est offert en externe et s'échelonne sur une moyenne de 17 rencontres. Par le biais d'une série d'étapes, le but est de développer la capacité d'arrêter de jouer. Les services sont personnalisés et sont offerts sous forme de rencontres individuelles ou de groupe. Des services sont aussi offerts aux proches du joueur. On peut joindre le centre Le Canal du lundi au vendredi dans les villes suivantes :

Forestville
C.S. des Nord-Côtiers
2, 7e Rue
Téléphone : (418) 587-2212

Port-Cartier
C.S. des Sept-Rivières
103, boul. des Rochelois
Téléphone : (418) 766-2572, poste 4183

Sept-Îles
C.S. des Sept-Rivières
405, av. Brochu
Téléphone : (418) 962-2572, poste 4183

Havre-Saint-Pierre
C.S. de la Minganie
1035, Promenade des Anciens
Téléphone : (418) 538-2212, poste 361

Fermont
C.S. l'Hématite
1, rue Aquilon
Téléphone : (418) 287-5461

Blanc-Sablon
C.S. de la Basse-Côte-Nord
1070, Dr Camille-Marcoux
Téléphone : (418) 461-2144, poste 421

Région du Nord-du-Québec

CENTRE DE SANTÉ RENÉ-RICARD
32, 3e Avenue
Chapais (Québec) G0W 1H0
Téléphone : (418) 745-2591

Le Centre de santé René-Ricard offre un programme d'aide pour les joueurs compulsifs favorisant l'approche de la connaissance de ce qu'est réellement le jeu de hasard. La thérapie est individuelle et d'une durée d'environ 17 semaines. On offre également au participant tous les services connexes pour l'aider : conseils financiers, services psychosociaux, etc. Un volet jeunesse est également offert. Les services sont offerts aux endroits suivants :

Chibougamau
C.S. de Chibougamau
51, 3e Rue
Téléphone : (418) 748-6435

Lebel-sur-Quevillon
C.S. Lebel
950, boul. Quevillon
Téléphone : (819) 755-4881

Matagami
C.S. Isle-Dieu
130, boul. Matagami
Téléphone : (819) 739-2515

Radisson
C.S. de Radisson
199, rue Jolliet
Téléphone : (819) 638-8991

Index des ressources par types de services

Index des ressources disponibles partout au Québec

Index des ressources par régions

Notes

1. Chevalier, Serge et Allard, Denis. *Jeu pathologique et Joueurs problématiques – Le jeu à Montréal.* Régie régionale de la santé et des services sociaux de Montréal-Centre. Direction de la santé publique, Montréal, 2001.
2. Denton, Sally et Morris, Roger. *The Money and the Power.* Alfred A. Knop, 2001.
3. Pichol et Delannoy. *La Saga des casinos.* Olivier Orban, 1986.
4. Johnson, David. *Temples of Chance.* Doubleday, 1992.
5. Revue *Touring*, printemps 2001.
6. Loto-Québec. Rapport annuel 2000-2001, p. 32.
7. Thorpp, Edwin O. *Beat the Dealer.* Vintage Books, 1983.
8. Ladouceur, Robert *et collab., Social Cost of Pathological Gambling, Journal of Gambling Studies*, vol. 10 (4), hiver 1994.
9. Conseil national du bien-être social. *Les Jeux de hasard au Canada.* 1996.

10. Fontaine, Gaétan. *Le Journal de Montréal*, 6 juin 2001.
11. Bland, R. C. *Epidemiology of Pathological Gambling in Edmonton. Canadien Journal of Psychiatry*. n. 38, 1993, p.108-112.
12. Lesieur, Henry H. *Cost and Treatment of Pathological Gambling*, Annals, AAPSS 556, mars 1998.
13. Ladouceur, Robert, *et collab.*, *Prevalence of Pathological Gambling and Related Problems Among College Students in the Quebec Metropolitan Area. Canadian Journal of Psychiatry*, vol. 39, n° 5, juin 1994.
14. Griffith, Mark D. et Wood, Richard T. A. Département de psychologie, Nottingham Trent University, *Panorama*, n° 1, octobre 1999.
15. *Loto-Québec et son évolution. Profil corporatif de l'entreprise et de ses filiales*, p. 21, octobre 1999.
16. Loto-Québec. Rapport intérimaire du 1er avril au 25 juin 2001.
17. *Lafleur's Fiscal 2000 VLT Special Report.*
18. American Psychiatric Association. *Diagnostic and Statistical Manual of Mental Disorders*, quatrième édition (DSM. IV). Washington D.C., APA 1994, p. 618.
19. Elkouri, Rima. *La Presse*, 4 novembre 2000.
20. *Rapport du vérificateur général du Québec 1999-2000*, tome 1.
21. Ladouceur, Robert, *et collab.*, *Prevalence of Pathological Gamblers : A Replication Study Seven Years Later. Canadian Journal of Psychiatry*, n° 44, 1999, p. 802-804.
22. Chevalier, Serge et Allard, Denis. *Jeu pathologique et Joueurs problématiques – Le Jeu à Montréal.* Régie régionale de la santé et des services sociaux de Montréal-Centre. Direction de la santé publique, Montréal, 2001.

23. Ladouceur, Robert. *Prevalence Estimates of Gamblers in Quebec. Canadian Journal of Psychiatry*, vol. 36, 1991, p. 732-734.
24. Elkouri, Rima. *La Presse*, 5 mai 2001, p. B3.
25. Azmier, Jason J. *Gambling in Canada 2001*. Canada West Foundation, tableau 8.1, p. 13.
26. Loto-Québec. *Profil des consommateurs des jeux de hasard*, 2000.
27. Australia Gambling Industries. Productivity Commission, vol. 1, novembre 1999, p. 7-40.
28. Loto-Québec, rapports annuels, 1996-1997 et 2000-2001.
29. Alarie, Stéphane. *Le Journal de Montréal*, 16 mai 2001, p. 7.
30. Conseil national du bien-être social. *Les Jeux de hasard au Canada*, 1996.
31. *Idem.*
32. Australia Gambling Industries. Productivity Commission, vol. 1, novembre 1999, p. 9-14.
33. Nicol, John et Nolen, Stephanie. *Maclean's News Magazine*. 11 mai 1998, p. 44.
34. Ville de Montréal. *Étude publique concernant le phénomène des prêteurs sur gages à Montréal*, avril 2000, p. 12.
35. Trottier, Éric. *La Presse*, 15 février 1999, p. A-12.
36. Ladouceur, Robert *et collab.*, *Social Cost of Pathological Gambling Journal of Gambling Studies*, vol. 10 (4), hiver 1994.
37. Jeu : Aide et Référence. Rapport annuel 1999-2000.
38. Loto-Québec. Rapport annuel 1994-1995.
39. Loto-Québec. Rapports annuels 1995-1996 à 2000-2001.
40. Loto-Québec. Rapport annuel 2000-2001.
41. *Loto-Québec et les consommateurs. Portrait des loteries et des gens qui les achètent*. 1995.

42. Loto-Québec. *Profil des consommateurs des jeux de hasard.* 2000.
43. Australia Gambling Industries. Productivity Commission. tableau 16.10, p. 16.77, novembre 1999.
44. Bridges, Traci. *Morning News.* Florence, Caroline du Sud, 6 juillet 2000.
45. Loto-Québec. Rapports annuels 1994-1995 à 2000-2001.
46. Pépin, André, *La Presse,* 1er mai 2001.
47. Azmier, Jason J. *Canadian Gambling Behaviour and Attitudes.* Rapport principal, Canada West Foundation, décembre 2000.
48. Loto-Québec. Rapport annuel 2000-2001.
49. *Construire,* no 37, 12 septembre 2000.
50. Australia Gambling Industries. Productivity Commission. tableau 16.7, novembre 1999, p. 16.61.
51. Azmier, Jason J. *Canadian Gambling Behaviour and Attitudes.* Rapport principal, Canada West Foundation, décembre 2000.